Cuando nadie entiende

Cuando nadie entiende

Cartas a una adolescente sobre la vida,
las pérdidas y el difícil camino hacia la adultez

Brad Sachs, PhD.

Traducción
Ángela García

GRUPO
EDITORIAL
norma

Bogotá, Barcelona, Buenos Aires, Caracas, Guatemala,
Lima, México, Panamá, Quito, San José,
San Juan, Santiago de Chile, Santo Domingo

Sachs, Brad, 1956-
    Cuando nadie entiende / Brad Sachs; traductor Ángela
García. -- Bogotá : Grupo Editorial Norma, 2007.
        192 p.; 21 cm.
        Título original : When No One Understands.
        ISBN 978-958-45- 0319-0
1. Psicología del adolescente 2. Emociones en la
adolescencia 3. Adolescencia - Aspectos psicológicos
4. Conducta (Ética) I. García, Ángela, 1957-   , tr. II. Tít.
155.5 cd 21 ed.
A1127500

        CEP-Banco de la República-Biblioteca Luis Ángel Arango

Título original en inglés:
When No One Understands
Letters to a Teenager on Life, Loss, and Hard Road to Adulthood
de Brad Sachs, PhD
Una publicación de Trumpeter Boston & London
Copyright © 2007 de Brad Sachs

Edición, Natalia García Calvo
Diseño de cubierta, Patricia Martínez Linares
Diagramación, Nohora E. Betancourt Vargas

Este libro se compuso en caracteres Bembo

ISBN 978-958-45-0319-0

Este libro está dedicado a:

*"Amanda" y a todos mis pacientes
adolescentes que han perdonado
mis limitaciones y que aun así han
asumido el riesgo de mostrarme
la naciente belleza de sus ambiciosos
corazones.*

*Mis tres hijos adolescentes, Josh,
Matt y Jessica, que siempre me han
mantenido honesto y humilde
con sus muy delicadas (eso dicen)
burlas humorísticas.*

*Y a Karen, con amor y gratitud
por todo lo que hemos creado
y todo lo que compartimos.*

Así es como crece;
siendo derrotado decididamente
por cosas siempre más grandes.

—RAINER MARIA RILKE

Sé amable,
pues toda
persona que conozcas
está librando una gran batalla.

—PHILO DE ALEJANDRÍA

Contenido

Nota para el lector

HE CAMBIADO LOS NOMBRES Y ALGUNOS DETALLES reveladores con el fin de proteger la confidencialidad de Amanda, así como la de sus familiares y amigos.

Algunas de las cartas para Amanda que incluyo en esta selección son una amalgama de textos procedentes de dos o más cartas distintas, y varias de ellas contienen uno o dos párrafos que no figuraban en la correspondencia original pero que inserté para mantener el flujo narrativo y para ayudarle al lector a entender el material clínico al que estaba respondiendo.

Escribí todas mis cartas originales con alguna rapidez, ya fuera al final de una larga jornada o entre consultas, por lo cual al revisarlas y prepararlas para su publicación me he tomado la libertad de reescribir algunas cosas con el fin de aclarar mis pensamientos y adaptarlos para un público general, y también para refinar un poco el estilo.

Como el lector no conoce las cartas a las que estoy respondiendo, también decidí asignarle un título a cada una de ellas para que haga las veces de lupa y ayude a enfocar la atención de quien lee en los temas que abordo.

Fuera de estos cambios, las cartas que siguen son, en su espíritu y su esencia, las mismas cartas que Amanda recibió, leyó y contestó.

Prólogo

Una lluviosa mañana de noviembre, llegaron a mi consultorio un padre y una madre tensos acompañados por su hija de dieciséis años, Amanda, quien había salido del hospital el día anterior. Amanda llevaba varios años en tratamiento y hacía una semana había intentado seriamente suicidarse: después de tragarse varias docenas de pastillas, algunas formuladas y otras de venta libre, con media botella de vodka.

Por fortuna, una de sus amigas cercanas sospechó que algo andaba mal cuando intentó ponerse en contacto con Amanda mediante un mensaje instantáneo y encontró un mensaje mórbido. Llamó al celular de Amanda y como no le respondía, llamó preocupada a la mamá de su amiga. Esta encontró a Amanda inconsciente, tendida en el piso de su habitación y llamó de inmediato al servicio de emergencia, tras lo cual la chica fue llevada en ambulancia a urgencias. Cuando se estabilizó médicamente, la transfirieron como paciente interna a la unidad psiquiátrica durante tres días, al cabo de los cuales la dieron de alta con la recomendación de que se sometiera a terapia. Un colega mío que trabajaba en el hospital le mencionó mi nombre a la familia y al día siguiente los padres de la joven llamaron a mi consultorio para concertar una consulta inicial.

Amanda, desde luego, a semejanza de la mayor parte de los adolescentes que trato, acudió casi obligada. No sólo no quería someterse a tratamiento sino que, según las notas de terapeutas anteriores, parecía oponerse consistentemente a *cualquier* esfuerzo de *cualquier persona* para promover un cambio. Entre tanto, ya le habían diagnosticado una amplia variedad de enfermedades mentales y la habían sometido a diversos tratamientos: trastorno bipolar, trastorno de personalidad limítrofe (*borderline*), trastorno distímico, trastorno depresivo mayor, trastorno psicoafectivo, trastorno de adaptación, trastorno de déficit de atención y trastorno disociativo.

Al comienzo, Amanda se comportó conmigo igual que con los demás clínicos bien intencionados. Parecía como si hubiera hecho un voto de silencio gélido mientras permanecía sentada frente a mí, tanto cuando sus padres estaban presentes como cuando estaba ella sola conmigo, con la mirada hosca clavada en el piso y meciendo lentamente la cabeza como si estuviera siguiendo el ritmo de una fuente invisible de música cautivante.

Puesto que este tipo de situaciones me eran familiares —como lo son para cualquiera que trabaje con adolescentes— y sabía que la terapia no convencional, sobre todo con chicos de esta edad, suele ser la terapia más efectiva, busqué otras maneras de lograr algo de contacto, algo de crecimiento y algo de sanación. En vez de tratar de inducirla a participar en conversaciones monosilábicas superficiales, observé que su historia clínica mencionaba su ávida afición por la lectura y la escritura creativa y decidí intentar una relación de correspondencia con ella como una manera menos invasiva y más productiva de establecer una conexión. Por alguna de esas razones que subyacen el misterio insondable del comportamiento humano, Amanda aceptó participar en este empeño compartido.

Hace poco, por cosas del azar, Amanda asistió a una firma de libros míos en una librería local. Al verla y al enterarme de lo bien que andaba su vida de adulta joven, salí contento de la librería, maravillándome al recordar que durante la mayor parte de sus primeros meses de tratamiento no me había dicho una sola palabra en ninguna sesión.

Mientras me dirigía a casa después de la firma de libros, se me ocurrió que recopilar y editar las cartas que Amanda y yo nos escribimos me podría servir de marco útil para compartir mis reflexiones sobre el crecimiento y el desarrollo de los adolescentes directamente con chicos de esa edad, y también con sus padres y con los educadores, clínicos y otros profesionales que trabajan con adultos jóvenes.

Aunque en un principio concebí este libro como una recopilación de correspondencia de doble vía, luego de compartir esa versión del manuscrito con ciertos colegas, padres y adolescentes con el fin de escuchar sus puntos de vista, llegué a la conclusión de que el hecho de limitar el texto a *mis* cartas acentuaba mi capacidad para hablarle al lector con mayor intimidad. Por consiguiente, tras pensar bastante el asunto, decidí reducir el libro a la mitad y concentrarme exclusivamente en las palabras que me atreví a ofrecer a Amanda desde lo más profundo de mi corazón empático, unas palabras que se convirtieron en parte del salvavidas que la transportó hasta depositarla en orillas psíquicas más seguras.

Así pues, *Cuando nadie entiende* es una síntesis de veintidós de las más de cincuenta cartas que le escribí a Amanda durante el transcurso de su terapia conmigo. Aunque usted observará rápidamente que algunos de los comportamientos y dificultades de Amanda eran más preocupantes y extremos que los que usted —o aquellos a quienes está criando, enseñando o tratando— quizás haya enfrentado o manifestado, a medida que vaya leyendo entenderá que el viaje de esta chica pone de relieve muchas de las condiciones y contradicciones más comunes y elementales inherentes a la vida de todo adolescente.

Todos los adolescentes, independientemente de su sexo, generación o antecedentes, deben emprender en algún momento la lucha universal, tradicional y mítica que exige el desconcertante y a veces desgarrador peregrinaje de la niñez a la edad adulta. Aunque los aspectos específicos de esa transformación siempre variarán de una persona a otra y nunca coincidirán con exactitud, son más las cosas que compartimos y tenemos en común que aquellas que nos diferencian.

Quiero, entonces, invitar a los lectores a conocer la privacidad de un vínculo terapéutico y compartir con ellos la mitad de la conversación que Amanda y yo creamos juntos. Al ver cómo se fue desarrollando nuestra relación, podrán confrontar, percibir, comprender y honrar sus propios temores, anhelos, pesares y sueños más profundos. Esto a su vez reforzará mi más sincera esperanza y mi convicción de que las palabras que leerán en estas páginas los guiarán con suavidad y los fortalecerán mientras se abren camino a través de los pasajes laberínticos de la adolescencia que finalmente conducen al extraordinario nacimiento de un adulto singular.

1

Una invitación

QUERIDA AMANDA:

ANTE TODO, DEJEMOS ALGO EN CLARO: no tienes que decirme ni una sola palabra cuando vengas a mi consultorio. Hablar no es la única manera en que dos personas se comunican entre sí, establecen contacto y aprenden a conocerse. De hecho, el habla a veces interfiere con la comprensión. Esa es una de las razones por las que he optado por escribirte, porque he descubierto, a lo largo de los años, que la palabra escrita a menudo tiene un mayor significado y autenticidad que la palabra hablada. Además, al examinar las historias clínicas que el hospital me envió antes de iniciar nuestra primera sesión, observé las excelentes calificaciones que has sacado en tus clases de inglés en la escuela, lo cual, sin duda, significa que tú también te sientes a gusto leyendo y escribiendo.

El trato que te propongo, entonces, es el siguiente: puedes guardar silencio en nuestras sesiones si así lo deseas, pero quisiera que, si no nos hemos de hablar, intentemos establecer una conversación por escrito. Después de cada cita yo te escribiré para compartir mis reflexiones y observaciones, y me gustaría que tú me contestaras compartiendo las tuyas conmigo. Así de sencillo.

Mi propuesta quizás te haga preguntarte por qué tenemos que tener tantas sesiones si la mayor parte de nuestro diálogo se va a desarrollar *por fuera* de esas sesiones. La respuesta es que de todos modos quiero verte, incluso si no tienes nada qué decir —la gente siempre se comunica, incluso si no habla— y también quiero dejar abierta la *posibilidad* de que hablemos, en caso de que tú creas que existe una razón para hacerlo. Además, quiero concertar reuniones conjuntas contigo y con tus padres, para que ellos me comuniquen sus impresiones y para que podamos conversar sobre cualquier asunto que pueda afectar a la familia.

No me malinterpretes: no te pido que te sientas feliz con este arreglo. De hecho, estoy seguro de que venir a las citas y leer y responder las cartas de un terapeuta no ocupan un lugar destacado en la lista de actividades placenteras de una chica de dieciséis años. Pero también estoy convencido de que estás consciente de que tu intento de suicidio preocupa a muchas personas —tu familia, tus amigos, tus profesores—, de modo que estás un poco a mi merced por ahora, por lo menos, hasta que nos demuestres a todos que ya no es necesario preocuparnos por ti. Como no te puedes deshacer de mí, creo que lo mejor será procurar sacarle el mayor provecho posible a la situación y aprender lo que podamos el uno del otro.

Cuando hayas reflexionado sobre esta carta, cuéntame qué piensas al respecto y proseguiremos a partir de allí.

Cordialmente,
Dr. Sachs

2

¿Para qué molestarse?

QUERIDA AMANDA:

AGRADEZCO TU RESPUESTA A MI CARTA, que recibí ayer. Me alegró que te hubieras arriesgado a ser franca conmigo sobre no querer ser "escudriñada", sobre tu infortunada experiencia con otros terapeutas que no sólo no te han ayudado sino que a veces han sido claramente insensibles, y sobre tu falta de entusiasmo en cuanto a someterte a un nuevo tratamiento psicológico. La verdad, yo me habría sentido un poco escéptico si te hubieras mostrado más animada y optimista en este momento —al fin y al cabo, al examinar tu historia conté cinco terapeutas diferentes a quienes has tenido que conocer en los últimos años—, de modo que no es extraño que no estés precisamente saltando de la dicha ante la perspectiva de acudir a un sexto terapeuta.

Escribiste que ya sabes que yo soy "igual a los demás", y eso quizás sea cierto. No estoy seguro de que vaya a ser muy distinto de tus demás terapeutas. Sin embargo, el hecho de que hayas sido tan clara acerca de por qué estos clínicos no fueron efectivos —sus intentos de "cambiarte", sus deseos de "ayudarte", su convicción de que te "entienden", su insistencia en que "saben lo que estás sintiendo"— por lo menos me da la oportunidad de procurar no repetir algunos de sus errores y tal vez intentar algo nuevo (o por lo menos cometer errores nuevos).

Si quieres que te diga la verdad, no tengo ningún interés en cambiarte, no estoy seguro de que necesites o quieras mi ayuda, no te entiendo y en realidad no tengo idea de qué es lo que estás sintiendo. Confieso, sin embargo, que sí me *interesas* y que siento curiosidad con respecto a qué fue lo que te indujo a pensar en poner fin a tu vida cuando puedo ver, a partir de mis conversaciones con tu familia y con otras personas que te conocen, que posees una amplia gama de habilidades y talentos. Pero no creo que en realidad sea asunto mío decidir por ti cómo debes vivir tu vida como adulta joven y decirte qué considero lo mejor para ti. Esas son conclusiones y decisiones a las cuales *tú misma* debes llegar, y son siempre el resultado de un proceso de *auto* descubrimiento, y no de que te digan qué debes hacer.

Por otra parte, sin embargo, estaría mintiendo si no admitiera que me gustaría que siguieras viva el tiempo suficiente para que superes la adolescencia y ver cómo se desarrollan las cosas; siempre hay sorpresas en el camino y no quisiera que te perdieras ninguna de ellas.

En todo caso, me gustó que te tomaras el trabajo de contestarme y que te expresaras con tanta honestidad, y espero con agrado proseguir con esta conversación.

Cordialmente,
Dr. Sachs

3

¿Por qué debo seguir?

Querida Amanda:

La carta que te escribo el día de hoy versará en su mayor parte sobre mi torpe intento de contestar la pregunta con la que empezaste y terminaste tu más reciente carta: "¿Por qué debo seguir?" Es una pregunta sencilla, una pregunta profunda, en cierto sentido la pregunta más elemental de todas, la pregunta que tienes todo el derecho de hacer dada la gran cantidad de dolor que ya has tenido que padecer en tu joven vida; y por ello es una pregunta que merece respuesta.

La primera respuesta que se me viene a la mente, admito con algo de vergüenza, es "No lo sé". Eso, desde luego, no quiere decir que *no debas* seguir, que debas simplemente tirar la toalla y embarcarte en una misión suicida definitiva. Es más un reconocimiento de lo que tú ya has llegado a entender, y de lo que cualquier persona con una mente abierta y un corazón grande llega a entender: que la vida es difícil, que la vida es una lucha y que, como se dice coloquialmente, es algo de lo que nadie sale vivo.

Pero cuando la vida está llena de desesperación, de angustia, de desesperanza, como sucede con la tuya en este momento, es apenas lógico preguntarse qué sentido tiene en verdad continuar. Abrirse camino penosamente por entre tanto sufrimiento sólo para encontrar más sufrimiento, sin duda, debe parecer algo vano. Estoy seguro de que muchas personas han tratado de contestar esta pregunta diciéndote con entusiasmo que "hay tantas cosas por las cuales vivir", y tú probablemente has concluido que tendrían que ser dementes para decir eso, completamente incapaces de entender la profundidad de tu dolor. No obstante, con todo el respeto por el estado mental que te hace plantearte este interrogante sobre "la vida y la muerte", esta es mi respuesta:

La mejor razón para seguir adelante es que no puedes presumir que tu vida siempre se vaya a sentir cómo se siente ahora. La adolescencia, como probablemente ya entiendes, es una fase de vida extremadamente complicada; nuestra mente, nuestro cuerpo y nuestra alma sufren cambios enormes, y es imposible superar todo esto sin largos y frecuentes períodos difíciles de confusión, perturbación, ansiedad y dolor. Por otra parte, la adolescencia es en todo caso una fase, y las fases llegan y se van. Aunque en este instante te sientas absolutamente abrumada por tu vida, no puedes suponer que este estado de cosas permanecerá así por siempre: la naturaleza de la vida son los altibajos.

La razón principal por la cual estás luchando tanto en este momento es que, por sorprendente que parezca, la adolescencia es una época de pérdidas. Esto es algo que muchos adultos y adolescentes no entienden. Al fin y al cabo, los adultos les dicen constantemente a los chicos de esta edad, "esta debería ser la mejor época de tu vida" o "los jóvenes desperdician la juventud" u "ojalá yo pudiera devolverme en el tiempo y vivir nuevamente esos años". Y desde luego, los adolescentes como tú terminan sintiéndose mal por el hecho de no estar disfrutando sus vidas tanto como "se supone" que deberían hacerlo o se encuentran preguntándose por qué un adulto en su sano juicio podría querer volver a semejante época de torturas en la vida.

Cuando digo que la adolescencia es una época de pérdidas, la pregunta que probablemente te haces es: "¿Qué estoy perdiendo?" Supongo que la mejor respuesta a esa pregunta es "tu niñez", porque nunca podemos convertirnos en adultos exitosos a menos que le digamos adiós a la niñez. Y eso es exactamente lo que sucede durante la adolescencia: tratamos de encontrar un lugar de reposo, un cementerio, para el niño o niña que solíamos ser, y tratamos de hacer el duelo por su deceso para que podamos avanzar en nuestras vidas.

Esta tarea plantea todo un reto porque siempre hay dolor cuando se produce una muerte, y perdemos mucho cuando perdemos la niñez, pese a que recibimos mucho más a cambio. Quizás lo más importante que perdemos es ese preciado cofre de tesoros que son nuestras fantasías de niñez: fantasías que a lo mejor nos convencieron de que somos el centro del universo, que siempre nos van a cuidar, que todo será mejor cuando seamos mayores, que podemos hacer todo lo que queramos, que somos invulnerables, que todo lo que anhelamos está fácilmente a nuestro alcance, que viviremos para siempre. Al soltar estas fantasías sentamos las bases para una vida real —como dijo en alguna ocasión un poeta, "la mejor manera de convertir los sueños en realidad es despertar"—, pero aun así puede ser mucho más fácil vivir en un mundo de fantasía que en el mundo real.

Creo que una de las razones por las que los adolescentes piensan mucho en la muerte —incluso *acechan* la muerte, como tú pareces haber hecho— es que en algún nivel están conscientes de la muerte de su niñez y tratan de afrontarla. Los pensamientos e intentos suicidas no son tan sólo esfuerzos para aliviar el dolor —para poner fin al sufrimiento— sino también una manera de reconocer que una parte de nosotros necesita morir para que una nueva parte, nuestra identidad adulta, pueda nacer. Desde luego, la ironía de recurrir al suicidio para afrontar este tema es que hace imposible ese nacimiento preciso; es la "solución final", como se dice, la solución de la cual nunca se puede regresar. Pero es importante considerar la posibilidad de que el *deseo* de poner fin a la propia vida no es algo que se debe temer o derrotar, sino algo que se debe acoger y entender; pero no es algo que se deba realizar.

De modo que en vez de percibir tu intento de suicidio como una especie de síntoma —una señal de que sufres una perturbación emocional, o una enfermedad mental, o un desequilibrio psicológico—, preferiría que lo consideráramos como parte de tu esfuerzo energético de dar el paso de la niñez a la adultez. Quizás en próximas sesiones y cartas podamos conversar sobre otras maneras de dar este paso que no pongan en peligro la vida misma que empieza a florecer.

Con respeto por tu coraje,
Dr. Sachs

4

¿Qué tengo de malo?

Querida Amanda:

Me impresionó el hecho de que pudieras pensar y reflexionar sobre lo que te escribí en mi última carta. Tu aceptación de ver tu intento de suicidio como algo distinto de un síntoma psiquiátrico, y de verlo como más arraigado en la vida que en la muerte, denota mucha madurez y sabiduría de tu parte. El que también te haya llevado a empezar a pensar en tu "sanidad o falta de ella" y cuestionarla es, creo, una extensión lógica de nuestra conversación.

Mencionaste en tu carta las muchas categorías diagnósticas en las que te han ubicado tus médicos anteriores y te preguntas en cuál o cuáles de esas categorías te pondría *yo*. No estoy seguro de poder contestar esa pregunta porque, aunque esas categorías a veces son valiosas, por lo general, crean más problemas de los que solucionan. En nuestros esfuerzos por tratar de entender los diversos tipos de angustia y malestar que experimenta la gente, temo que hemos definido tan estrechamente lo que es ser "normal" que la más mínima desviación con respecto a la norma se diagnostica automáticamente como una enfermedad o un trastorno afectivo.

Tomemos por ejemplo la "depresión". Se diría que vivimos en una cultura que plantea la posibilidad de algún tipo de euforia perpetua: siempre debemos sentirnos felices, y si *no* nos sentimos así, algo debe estar mal y ese algo se debe rectificar rápidamente. De modo que si alguien parece triste o deprimido, eso se considera automáticamente como algo malo, un problema que se debe solucionar, una fractura que es preciso reparar.

De alguna manera parecemos haber perdido de vista la noción de que en realidad no hay emociones positivas o emociones negativas, sino que *todas* las emociones nos pueden enseñar cosas importantes acerca de nosotros mismos si lo permitimos. En mi opinión, una persona saludable se define como alguien que se puede sentir triste *y también* feliz, ansioso *y también* tranquilo, inseguro *y también* seguro de sí mismo. Dictaminar cuáles emociones están bien y cuáles no, hace que sea difícil que nos sintamos cómodos con nosotros mismos, pues toda emoción —incluso las que no se soportan con gusto— anhela ser experimentada y aceptada.

Esto puede parecer un poco extraño, pero en realidad pienso que es importante —incluso necesario— que pasemos por períodos de depresión, porque esas pueden ser las veces en las que estemos más tranquilos y menos activos y, por consiguiente, probablemente más atentos a lo que se está desarrollando, emergiendo y surgiendo desde nuestro interior. Si nos sentimos constantemente eufóricos, nos perderíamos algunos de estos aspectos tan importantes de nosotros mismos, así como sentirnos permanentemente bombardeados por música a todo volumen haría que nos perdiéramos los sonidos más tenues del mundo que también merecen ser escuchados.

Estoy de acuerdo con que los sentimientos depresivos a veces pueden llegar a ser abrumadores y que dejan de cumplir un propósito útil o importante —algunos investigadores creen que esto se puede deber a algún desequilibrio en nuestra neuroquímica—, y en esos momentos conviene evaluar y tratar la condición para que la persona pueda vivir su vida a plenitud. De hecho, es por eso que a ti te han formulado algunos de los medicamentos que has estado tomando, en un esfuerzo por tratar de equilibrar las cosas desde el punto de vista neuroquímico, y ayudarte así a recuperar parte de tu energía y tu vitalidad.

Pero recuerda que la medicina es tan sólo una herramienta, y que hay muchas cosas que también cambian nuestra neuroquímica. Actividades como el ejercicio, la escritura, la meditación, la oración, la buena alimentación y la lectura, para mencionar unas pocas, afectan nuestra neoroquímica con una potencia que

17

equipara —y a menudo supera— la de un medicamento, y sin ninguno de los efectos secundarios contra los que tú has tenido que luchar.

De modo que supongo que esta es una forma indirecta de decir que no estoy tan interesado en tu diagnóstico, y a menos que tenga que llenar un formato que me exija hacer uno, preferiría verte tal como eres, una persona que es más que sus síntomas, alguien cuya condición humana no se puede restringir mediante categorías que quizás tengan alguna lógica pero que no pueden empezar siquiera a contener y describir aquello que te hace ser quien eres.

Lo siento si mi respuesta te decepciona, o si no es lo que querías escuchar, pero como me has dado como obsequio tu honestidad, pensé que era la única manera justa de devolver el favor.

Con aprecio por tu paciencia,
Dr. Sachs

5

¿Por qué
es tan imposible mi mamá?

Querida Amanda:

No me fue difícil obtener de tu última carta la impresión de que te sientes un poco harta de tus padres. Aunque este sentimiento no es inusual, sobre todo entre una adolescente y su madre y su padre, merece algo de reflexión y de definición de estrategias de nuestra parte, pues lo más probable es que permanezcas en casa con ellos por lo menos otro par de años, y estoy seguro de que todos querrán que esos años sean lo más llevadero posible para todos. Por supuesto, cuando vivas después por tu cuenta, las cosas tenderán a ser un poco más fáciles.

Una de tus tareas principales durante la adolescencia es convertirte en tu propia persona, alguien única, separada y diferente de la familia en la cual te criaron. Como parte de ese proceso, es importante que examines a tu madre y a tu padre con cuidado, reconociendo sus fortalezas y sus debilidades, reconciliándote con sus aciertos y con sus fallas. Sabrás que cumpliste tu tarea cuando puedas aceptar a tus padres como son, pese a sus imperfecciones; al fin y al cabo, ellos fueron criados por padres imperfectos, al igual que tú y al igual que todos nosotros. Por eso cuando te escucho quejarte sobre tus padres lo veo como una señal positiva, un indicio de que empiezas a pensar con independencia, una señal de que vas en camino de convertirte en alguien que puede honrar y encarnar lo que te parece mejor de tus padres y que puede soltar y dejar atrás lo que no te gusta.

Tu irritabilidad con tu mamá es comprensible; en un momento de tu vida en que quieres el máximo posible de espacio e independencia, ella está monitoreándote y escrutándote constantemente, queriendo saber cómo estás, preguntándote en qué andas, preguntándose qué planes tienes, qué estás pensando, qué estás sintiendo. No es de extrañar que te sientas asfixiada por su presencia constante.

Por otra parte, tampoco es una sorpresa que ella esté tan presente. Al fin y al cabo, la peor pesadilla de un padre o una madre es que algo terrible le pase a su hijo o hija, y afrontémoslo, tu reciente intento de suicidio estuvo muy cerca de ser fatal. Por eso, ella debe de estar haciendo desesperadamente todo lo que esté en sus manos, todo lo que ella sabe hacer, para tratar de impedir que algo trágico te vuelva a suceder, y una de esas cosas es saber de ti lo más posible.

Por supuesto, probablemente estés pensando que ella tan sólo agrava las cosas siendo tan entrometida: "Si ella tan sólo se apartara y me diera algo de espacio yo me sentiría mejor; tenerla frente a mí todo el tiempo es *mortal*, me hace dar ganas de *poner fin* a mi vida, no de seguir viviendo", son frases que podrían estar pasando por tu mente, y eso es entendible. Sin embargo, ya sea que lo sepas o no, tienes algún control sobre qué tanto se meta ella en tu vida.

El hecho es que los padres *siempre* se preocupan por sus hijos, incluso cuando estos ya no son niños. Pero si logras encontrar una manera de ayudarle a que se preocupe un poco menos, quizás descubras que has creado parte del espacio de respiro que ansías en este momento de tu vida. Una manera de ayudarle a que se preocupe menos es dejarle saber algunas de las cosas que suceden en tu vida; la información es el gran antídoto contra la preocupación de los padres.

Ahora bien, eso no quiere decir que ella tenga que, merezca, o incluso *quiera* saber hasta el más mínimo detalle acerca de ti. Nadie debe o tiene que saber *todo* sobre ti, y todos necesitamos mantener partes de nosotros mismos privadas y reservadas: esa es una de las formas en que sabemos que somos nuestra propia persona, jugando algunas cartas ocultas, manteniendo algunas cosas para nosotros mismos. Pero decidir invitar a tu madre a que conozca *ciertos* aspectos de tu vida probablemente tendrá beneficios importantes: a medida que te vaya entendiendo mejor se va a preocupar menos, y cuando se sienta menos preocupada va a sentir menos necesidad de estar encima de ti todo el tiempo y tú te sentirás más libre, menos como una rehén en tu propia casa.

Desde luego, depende de ti decidir qué le vas a revelar; podrían ser cosas referentes a la escuela, podrían ser cosas relacionadas con tus amigos, podrían ser cosas que suceden en tu alma misma. Pero si le haces ver que no la estás excluyendo por completo de tu vida —si dejas de ser misteriosa, si dejas de ser como una extraña para ella— tendrás una mamá más relajada, y una mamá más relajada significará una hija menos estresada.

En este instante quizás te estés diciendo, "si empiezo a contarle lo que ocurre en mi vida va a empezar a fisgonear y querrá saber más y más, si le doy el codo insistirá en tomarse todo el brazo". Es una preocupación válida de parte tuya y tu mamá tendrá que aprender a aceptar lo que tú le ofrezcas y no insistir o pedir más, si quiere que tú le mantengas abierta la puerta. Pero lo que yo he visto, después de haber conocido a tantos padres a lo largo de los años y siendo un padre yo también, es que es más fácil para nosotros no presionar tanto cuando estamos mejor informados sobre quién es la persona a quien no estamos presionando. Ser parca con lo que revelas a tu madre está bien, pero no seas *demasiado* parca pues de lo contrario terminarás invitando justamente los controles de los cuales intentas liberarte con tanto esfuerzo.

Estoy seguro de que hay otras cosas de tu madre que son enloquecedoras, pero por qué no empiezas por reflexionar un poco sobre mi punto de vista y luego me cuentas qué sucede.

Con respeto por tus luchas,
Dr. Sachs

6

¿Por qué
es tan imposible mi papá?

Querida Amanda:

Cuando contestaste mi carta sobre tu mamá con una carta sobre tu papá y supones que "los papás son raros", me dije que estaba totalmente de acuerdo contigo. Tu papá probablemente te parece todo un misterio en este momento; de hecho, tan misterioso es él para ti como probablemente lo eres tú para él.

Lo que yo sé de tu padre, con base en lo que conversé con él y con tu mamá y también por lo que dices en tu carta, es que se mostraba muy interesado en tu vida hasta hace un par de años, cuando pareció esfumarse. No sé a qué se deba eso, pero *sí* estoy seguro de que eso te debe confundir un poco. Quizás si lo entendieras mejor te parecería menos raro y un poco más fácil de aceptar.

Los psicólogos, como ya lo sabes, a menudo escudriñan el pasado en busca de pistas que expliquen el comportamiento de una persona en el presente. Sé que sabes que tu padre tuvo una hermana mayor, Delia, que tuvo una vida muy trágica. Lo que me dijeron fue que él y tu tía Delia eran bastante cercanos de niños, pero que cuando ella entró a la secundaria su vida empezó a dar unos giros bruscos y peligrosos. Se metió de lleno en el alcohol y la droga, fue madre antes de terminar la escuela, se casó sin éxito dos veces y murió en un accidente de tránsito por conducir embriagada a la increíblemente joven edad de veinticuatro años, cuando tu padre estaba en la universidad.

Te diré lo que le dije a tu padre: no creo que haya hecho el duelo por Delia, y pienso que nunca logrará aceptar su muerte. Desde luego, no era muy fácil hacer esto en la familia de tu papá. Tu madre me contó que los padres de tu papá, tus abuelos paternos, aun hoy ni siquiera mencionan el nombre de Delia. Es como si estuvieran tan desconsolados por su muerte que ni siquiera se pueden permitir imaginar que alguna vez vivió. De modo que tu papá probablemente no tuvo con quién compartir su gran tristeza con respecto a su hermana. Cuando era adolescente, tuvo que observar impotente mientras su hermana mayor tomaba una mala decisión tras otra, hasta ponerle un fin repentino y prematuro a su vida. A veces las familias se unen en torno a una pérdida dolorosa y sus lazos se estrechan y se vuelven más cálidos como resultado. Por alguna razón, la familia de tu papá no pudo hacer eso. Nadie hablaba, nadie lloraba, o si alguien *sí* lloraba lo hacía en privado, y tu papá tuvo que enterrar su dolor junto con su hermana.

¿Qué tiene esto que ver contigo y su relación con él? Yo diría que bastante. Porque una de las cosas desconcertantes que hacen los padres cuando tienen un hijo o una hija es buscar cosas en el niño que les parezcan familiares, que les recuerde a alguien a quien ya conocen. Observan que estornudan como la abuela o que se ríen como el tío, que cantan como el padre o que duermen como la tía.

¿Por qué hacen esto? Supongo que la mejor manera de explicarlo es que les ayuda a realizar el arduo trabajo que exige la paternidad. Acuérdate de que cuando uno nace, es una especie de extraño para sus padres; no lo conocen a uno, pero se supone que deben dedicar todo su tiempo y sus energías a cuidarlo. Eso es mucho más fácil de justificar si el niño o niña les parece un poco más familiar. Al fin y al cabo, ¿quién querría despertarse en medio de la noche para alimentar y cambiarle los pañales a alguien con quien no parece tener ninguna conexión? De modo que los padres se ponen a pensar en personas a quienes les recuerda el hijo, para que parezca un poco menos extraño, un poco más reconocible. Este proceso no sólo sucede cuando los padres tienen un hijo natural, sino también en casos de padres adoptivos, padrastros y personas que acogen a los pequeños.

Sin embargo, esto a veces crea problemas, sobre todo si la persona a quien el niño les recuerda es alguien con quien tienen una relación complicada. Y creo que eso es lo que le está sucediendo a tu papá en este momento. Sin quererlo, simplemente por el hecho de que tú eres una adolescente, le recuerdas a su hermana; y su hermana, también sin quererlo, le causó mucho dolor a tu padre. En su mayor parte, él ha afrontado ese dolor tratando de evitarlo, y creo que esa puede ser la razón por la cual te está evitando a *ti*. Al fin y al cabo, como me dijiste en tu carta, los dos solían "hacer cosas juntos: montar en bicicleta, jugar a las cartas, sacar al perro a caminar", y ahora ni siquiera hablan. Se parece un poco a lo que sucedió entre él y Delia: años de cercanía y, de repente, una gran distancia entre ellos.

No estoy disculpando el comportamiento de tu papá, sólo intento explicarlo. Porque creo que cuando podemos entender el comportamiento de alguien, podemos preparar mejor nuestra respuesta. Algo que es importante recordar en todo esto es que en realidad no es culpa tuya el hecho de que tu papá se haya alejado de ti. Al fin y al cabo, no es mucho lo que puedes hacer frente al hecho de que le recuerdas a su hermana; eso iba a ocurrir de todas formas, y *ha* ocurrido durante años. Por otra parte, lo cerca que ya estuviste de una muerte prematura debido a tu intento de suicidio probablemente esté reforzando en tu papá las formas en que le recuerdas a la tía Delia, por lo cual se le dificulta mucho más superar su dolor y ser un mejor papá. "¿Para qué estar cerca de Amanda cuando ella también me va a abandonar, como Delia?", sería como tendrías que reconocer, una pregunta lógica que él se haría, así fuera en su subconsciente.

Una de las cosas que le he pedido ya a tu padre es que reflexione sobre su relación con su hermana y trate de buscar algunas maneras de reconectarse con ella, aunque ya haya muerto. El hecho de que ya no viva no significa que él no la pueda recordar con cariño, que no pueda rememorar la cercanía que no duró tanto como hubieran querido, pero que de todos modos fue importante y significativa el tiempo que duró. A lo largo de los años he aprendido que si bien la muerte señala el final de la *vida*, no tiene que señalar el final del *amor*, o el final de una relación con la persona amada que falleció. Quizás si él logra reabrir su corazón al amor por su hermana podría reabrir mejor su corazón a su amor por ti y demostrarte ese amor en algunas de las formas en que solía hacerlo, y de formas nuevas también.

¿Qué puedes hacer tú para ayudar en esto? Una sugerencia es que trates de averiguar un poco más sobre tu tía Delia, porque creo que ha sido una persona importante en tu vida aunque haya muerto años antes de que nacieras. Pídele a tu padre que te cuente un poco más sobre ella. Pregúntale si tiene fotos. Si te parece, pregúntale si te acompañaría a ver su tumba. Estas podrían parecer cosas extrañas o tenebrosas, pero de una manera curiosa el hecho de "traer de nuevo a la vida" a tu tía, conversar sobre ella y recordarla podría ayudar a que también *tú* volvieras a la vida, una vida que podría nacer de todas esas formas en que habría podido hacerlo la vida de la tía Delia pero que nunca lo hizo.

Con comprensión,
Dr. Sachs

7

¿Cómo vivo
con un corazón roto?

QUERIDA AMANDA:

AUNQUE ME IMPRESIONÓ EL HECHO de que empezaras
a hablar conmigo directamente durante nuestra última
sesión conjunta, pude ver lo difícil que te resultaba hacerlo y quiero recordarte que nuestra correspondencia puede continuar hasta cuando los dos lo queramos.
Ensayar o explorar una forma de comunicación no eli-
mina la importancia de otras formas.

Mientras tanto, quería darte algunas respuestas a lo
que me estabas diciendo y escribiendo con respecto al
rompimiento con tu novio, un rompimiento que creías
que podría haber contribuido a que te sintieras tan desesperanzada como para intentar poner fin a tu vida.

Las relaciones íntimas son experiencias maravillosas pero enormemente complicadas. Me dio la impresión de que tu relación con Peter era bastante profunda, una conexión que era mucho más fuerte que la de un típico romance adolescente. Cuando dos individuos brillantes y sensibles salen juntos con exclusividad durante casi ocho meses y comparten tanto como ustedes dos compartieron, se construye un vínculo muy importante. Y es un logro tremendo experimentar y cultivar ese vínculo, sobre todo a tu edad.

Sé por lo que me dices en tu carta que sientes que Peter fue quien puso fin al noviazgo, que fue él quien te "botó" y que eso te produjo un hondo sentimiento de dolor y de ira. Pero también me pude dar cuenta, a medida que describías la relación, que las cosas se estaban empezando a resquebrajar antes de eso; mencionaste que tú te estabas cansando un poco de que te llamara y te mandara mensajes de texto todas las noches, de que se molestara si querías pasar algún tiempo con tus amigas el fin de semana, del hecho de que se sintiera amenazado si tú hablabas o le enviabas mensajes de texto a otros chicos.

Mientras leía eso pensaba que en realidad eras tú quien se había aburrido con la relación antes que él, pero que quizás no estabas segura de que él fuera lo suficientemente fuerte como para tolerar estar sin ti, por lo cual permaneciste a su lado hasta que él se decidiera a terminar el noviazgo, y así tú no tendrías que sentirte culpable de herirlo. Desde luego, es improbable que hayas pensado esto conscientemente; nosotros los psicólogos tenemos la fastidiosa costumbre de examinar el inconsciente, esa parte de nuestra mente que gobierna muchos de nuestros pensamientos, sentimientos y comportamientos sin que siquiera nos demos cuenta. Pero aunque quizás no fue una decisión consciente tuya, de todos modos creo que existe una fuerte posibilidad de que tu deseo de proteger a Peter de sentirse herido fue lo que te llevó a *permitir* que fuera él quien tomara la decisión final de romper contigo.

Si te estás diciendo, "muy bien, si *yo* fui quien quiso que termináramos, más que *él*, ¿entonces por qué me afectó tanto el hecho cuando en verdad sucedió?", pues entonces estás haciendo exactamente lo que debes hacer, que es tratar de aprender lo más posible sobre ti misma, sobre todo en lo que respecta a sucesos que te causan dolor. Y una posible respuesta sería que no te afectó tanto el hecho de que el noviazgo terminara (aunque siempre existe algo de tristeza cuando una relación cercana termina) como el hecho de que te habías sacrificado para facilitarle las cosas a él.

Las relaciones siempre exigen sacrificios, pero algunos sacrificios son preferibles que otros. Cada vez que hacemos un sacrificio sentimos algo de rabia por el hecho de tener que renunciar a parte de nosotros: a nuestro poder, nuestra autonomía, nuestra voz. Creo que te sentiste mal por el rompimiento de tu relación con Peter, no tanto por el hecho de que hubiera terminado ni porque hubiera sido él quien la terminó, sino porque tú le permitiste a él hacerte a *ti* lo que tú habías querido hacerle a *él*. Arreglaste las cosas para que él fuera quien te hiriera y tú fueras la herida.

No te digo esto para criticarte ni para hacerte sentir mal, Amanda. Por el contrario, como te dije, en mi opinión es un logro extraordinario mantener una relación tanto tiempo como lo hicieron ustedes dos. Pero sí parece que en algún momento tú tomaste la decisión —consciente o inconsciente— de cuidar más de Peter que de ti misma, y creo que esa es la razón por la cual sentiste tanto dolor y tanta rabia.

Tu tarea es no sentirte mal por esto ni lamentarlo. Como me dijo alguien en una ocasión, las tres respuestas a un error deben ser admitirlo, no repetirlo y aprender de él. Me gustaría que reflexionaras sobre si mi intuición sobre tu relación es pertinente, para ver cómo se sintió tomar la decisión que tú tomaste, y para examinar tus otras relaciones con el fin de ver si tiendes a hacer sacrificios similares o diferentes, y cómo se siente hacerlo.

De cualquier manera, quiero que recuerdes que el dolor que estabas sintiendo por el rompimiento con Peter es un dolor que te puede ayudar a crecer, que te puede preparar para tu siguiente relación y que puede convertirte en una persona más profunda, con una mayor capacidad para dar y recibir amor.

Con admiración por tu coraje,
Dr. Sachs

8

¿Por qué consumo alcohol y drogas?

QUERIDA AMANDA:

CREO QUE ES JUSTO DECIR QUE LA SESIÓN DE AYER no fue una sesión fácil para ti ni para tus padres. Ellos, como bien lo sabes, están convencidos de que llegaste a tu casa ebria de una fiesta el fin de semana; te vieron tambalearte, te escucharon hablar arrastrando las palabras y saben que estuviste vomitando en la ducha gran parte de la noche. No dijiste nada mientras ellos me describían la situación durante la sesión, y como te dije, tienes el derecho de no hacerlo, aunque creo que si hubieras creído que no tenían razón, habrías dicho algo para defenderte.

Voy a suponer que, siendo una joven inteligente de dieciséis años, sabes lo necesario sobre el consumo de drogas y de alcohol, de modo que no voy a desperdiciar mi tiempo o el tuyo sermoneándote. Seguramente ya te sermonearon bastante. Tampoco me interesa forzarte a admitir que fuiste "mala" o que demostraste "falta de juicio", ya sea que lo sientas así o no. Lo que me interesa es que *tú* sepas más sobre el atractivo de las sustancias embriagantes; en otras palabras, las respuestas a preguntas como qué disfrutas de ellas, cuándo te sientes tentada a consumirlas, cómo decides si hacerlo o no y cuánto consumes cuando lo haces.

En realidad es imposible que los adolescentes no sientan algo de curiosidad acerca de las drogas y el alcohol; al fin y al cabo, vivimos en una cultura muy permeada por las drogas. Hoy en día hay píldoras para casi todo: dolor de cabeza, dolor de estómago, ansiedad, depresión, timidez, falta de atención, hiperactividad, fatiga, insomnio, obsesiones y compulsiones, problemas sexuales... y la lista sigue. Al mismo tiempo, constantemente nos bombardea la publicidad de la cerveza, el vino y los licores. También están las drogas que se consiguen en la calle —marihuana, cocaína, heroína, píldoras de todo tipo— a las cuales prácticamente todos los jóvenes están expuestos de una u otra forma. Así pues, ¿quién no se sentiría tentado a, por lo menos, probar uno o más de estos químicos, legal o ilegalmente?

Pero quizás podríamos empezar a conversar sobre este tema complicado de una manera reflexiva. Una forma de empezar sería que tú me contaras un poco más acerca del papel que las drogas y el alcohol desempeñan actualmente en tu vida. Por ahora, estaría dispuesto a mantener esta información confidencial, sólo entre tú y yo, y te prometería no compartirla con tus padres o con otros. Sin embargo, tendrías que entender que si en algún momento yo decido que hay algo muy preocupante sobre tu consumo de drogas y alcohol, te pediría que hablaras con tus padres acerca de eso y/o hablaría yo con ellos, aunque no lo haría sin antes comentarlo contigo.

Recuerda, Amanda, mi intención no es tratar de cambiarte ni meterte en problemas y no voy a pensar mal de ti con base en lo que decidas contarme; sigues siendo quien eres, independientemente de lo que hagas. Pero sí creo que las decisiones acerca del uso de sustancias son muy importantes y difíciles, y a veces es valioso conocer el punto de vista de un adulto además del punto de vista de tus amigos, para que puedas tomar la mejor decisión posible.

Por otra parte, en caso de que decidas que *no* quieres contarme detalles adicionales a este respecto, respetaré tu decisión y dejaremos el asunto de lado por el momento.

Reflexiona sobre esto y, como siempre, esperaré tu respuesta.

Con aprecio,
Dr. Sachs

9

¿Soy adicta?

QUERIDA AMANDA:

RECIBÍ TU CARTA Y ME COMPLACE SABER QUE PIENSAS
que sí valdría la pena tener una discusión más a fondo
sobre el consumo de drogas y alcohol. Creo que eso
denota mucha madurez de tu parte. También me gustó el hecho de que confiaras en mí, y sólo para que
lo sepas, con base en lo que compartiste conmigo no
considero necesario mencionar este tema a tus padres
en este momento; como te dije, si llegamos a ese punto,
te lo haré saber.

Mencionaste que, has fumado marihuana "con
frecuencia" desde hace casi un año, que bebes bastante
de vez en cuando y que "te has metido con algunas
otras cosas, como éxtasis y ácido" pero sin consumirlos

con regularidad, y que nunca fumarás tabaco porque "es vulgar".

Lo que más me impresionó de tu carta fue la conciencia que tienes de los efectos que producen las drogas en ti; por ejemplo, dijiste que cuando fumas marihuana te sientes más relajada, te ríes con más facilidad y aprecias mejor la música. Las drogas como la marihuana no serían tan populares como lo son a menos que tuvieran algún atractivo, y es claro que has identificado algunos de los efectos que la gente más suele buscar cuando consume esta sustancia.

Aunque te has estado diciendo a ti misma que está bien fumar a diario porque la marihuana no es "adictiva", me gustaría que reflexionaras un poco más sobre este tema. Las personas que fuman marihuana con regularidad quizás no sufran de un síndrome de abstención cuando deciden dejarla, pero aun así se da una abstención emocional difícil que es preciso afrontar. No cabe duda de que en este momento has adquirido el hábito de fumar marihuana, y como bien lo sabes eso entraña ciertos riesgos que, para no parecer repetitivo, supondré que conoces (aunque también podemos hablar sobre esos riesgos en algún momento, si así lo deseas).

A veces cuando consumimos una droga con regularidad por razones emocionales, como para sentirnos mejor, en realidad disminuye la capacidad de nuestro cuerpo de sentirse mejor por sí solo, lo cual significa que nos hemos vuelto cada vez más dependientes de la droga para que haga lo que en realidad nos gustaría poder hacer de manera independiente (ya que es posible que no siempre dispongamos de la droga).

Desde luego, la mejor manera de comprobar si uno es adicto a una sustancia es ver si puede prescindir de ella y observar qué pasa cuando no la está consumiendo. Por simple curiosidad, podrías ensayar un experimento: dejar la marihuana durante una semana y simplemente evaluar cómo te sientes. La idea es que te observes como una manera de entender mejor el papel que desempeña en tu vida. Quizás podrías anotar algunas ideas o escribir un diario durante esos días y, si te parece, podrías compartirlos conmigo.

En todo caso, como dije en mi carta anterior, lo que me contaste sobre tu consumo de drogas y alcohol no cambia la manera en que te veo; sigues siendo Amanda y también sigues siendo una joven maravillosa en proceso de desarrollo, con muchos atributos y cualidades excelentes. Agradezco el hecho de que me hayas invitado a esta parte de tu vida, pues así tendremos la oportunidad de explorarla entre los dos.

A propósito, antes de terminar, no pude dejar de observar unas marcas de rasguños en tu brazo que no tenías la última vez que viniste. ¿Qué sucedió?

Con curiosidad,
Dr. Sachs

10

¿Por qué debo ser la persona que todos los demás quieren que sea?

QUERIDA AMANDA:

QUERÍA COMENTARTE ALGO SOBRE LA SESIÓN DE AYER, con respecto a la convicción de tus padres de que tienes una gran habilidad artística pero casi nunca permites que otros la perciban. Me dijeron que aunque pasas bastante tiempo dibujando y pintando en tu habitación y pese a que muchos profesores a lo largo de los años te han dicho que tienes mucho talento, no quieres tomar clases de arte en la escuela o en otra institución y te niegas a hacer un portafolio con tus mejores obras y contemplar la posibilidad de participar en un concurso. Esto les molesta y los hace preguntarse por qué no crees en ti misma.

Una lección que he aprendido de mi conocimiento de muchos individuos creativos a lo largo de los años es que la creatividad es una posesión preciosa, algo que es único y que valoramos mucho. Por eso no es raro que las personas con inclinaciones artísticas a veces traten de proteger esa creatividad reservándola para sí mismos, que la cuiden y la nutran en privado sin exponerla al escrutinio público. Es como si una vez sacada al mundo para que otros la vean y la experimenten, ya no les perteneciera a ellos.

Aunque creo que es maravilloso que tengas la capacidad de expresarte artísticamente, así como mediante la palabra escrita, también creo que hay una cierta sabiduría intuitiva en el hecho de que te reserves tu trabajo para ti misma por ahora. Pienso que en nuestra cultura se pone demasiado énfasis en buscar la atención y las aclamaciones de los demás, y en tratar de ganar premios y concursos en todo tipo de campos. Esto tiende a impedir que los individuos encuentren su propia voz y su propia habilidad, porque muy pronto empiezan a preocuparse en exceso acerca de lo que los demás piensan de su arte y dejan de enfocar su atención en el arte en sí.

Al hacer lo que estás haciendo, le darás a tu arte la oportunidad de florecer por sí solo, a su propio ritmo, a su propia manera. Y esa es la única forma en que puede en verdad volverse tuyo, en que puede gratificarte y satisfacerte y transmitir lo que quieres que transmita.

Por ahora, creo que puedes confiar en que tú misma sabrás cuándo estés lista para invitar al mundo externo a compartir tus logros creativos y que, hasta cuando llegue ese momento, tienes todo el derecho de reservarlos para ti. Ojalá más personas creativas, tanto adolescentes como adultas, entendieran esto...

Mientras tanto, si en algún momento quisieras llevar algunas de tus obras creativas a una de nuestras sesiones, me sentiría honrado de verlas, aunque me gustaría hacerlo no para criticarlas sino simplemente para conocer otra parte tuya profundamente importante. Piensa entonces si te gustaría hacer eso en algún momento; cualquier cosa que decidas me parecerá bien.

Cordialmente,
Dr. Sachs

P.D. Agradezco que me contaras cómo te hiciste esos rasguños en el brazo, pero déjame decirte que tu explicación —haberte raspado cuando estabas buscando unos libros en tu casillero en el colegio—, no me pareció del todo verídica. Si estoy fuera de base en esto dímelo y por favor acepta mis disculpas por no haberte creído. Sin embargo, si hay algo más en este asunto también siéntete en libertad de contarme, incluso si no tienes deseos de contar la historia *completa*. No espero que me informes sobre todo lo que acontece en tu vida, y no tienes la obligación de hacerlo, pero sí me gustaría saber si mi preocupación tiene fundamentos.

11

¿Por qué
me estoy haciendo daño?

QUERIDA AMANDA:

SIENTO UN ENORME RESPETO POR TI por haberme dicho la verdad sobre cómo se produjeron los rasguños en tu brazo. El hecho de admitir que te habías estado cortando y que también tienes cortes en tus muslos y tu vientre que nadie más ha visto por el momento, y de lo cual yo no me hubiera enterado, exigió mucho valor de parte tuya.

También comprendí claramente tu preocupación de que si me contabas a mí que te estabas cortando, de inmediato haría que te hospitalizaran de nuevo, algo que no querías que sucediera.

Quiero ser muy claro contigo con respecto a ese asunto de la hospitalización, para que no haya confusión: si tengo algún indicio de que estás contemplando la posibilidad de poner fin a tu vida, no dudaré en hacer que te hospitalicen para que te supervisen con cuidado hasta que desaparezca el impulso. Por otro lado, sin duda alguna preferiría que vivieras tu vida por fuera del hospital (como sospecho que también tú lo prefieres), y no creo que comportamientos como cortarte o fumar marihuana determinen automáticamente que te traten como paciente interna.

Así que, por ahora, siempre y cuando podamos entablar un diálogo útil sobre el hecho de que te cortes, no debes temer terminar automáticamente en el ala psiquiátrica como resultado de tu franqueza.

Vamos al asunto que nos concierne... Debo confesar que hay algo acerca de los cortes auto infligidos que siempre me ha intrigado. La razón es que en muchas culturas tradicionales, y en muchas otras épocas en la historia de la humanidad, infligirse heridas a sí mismo no se ha percibido como algo sintomático o problemático, sino que se entiende en realidad como un ritual corriente que significa que la transformación de la niñez a la adultez se está llevando a cabo. El rasguño, el corte o la tajada parecen funcionar como una "línea divisoria" simbólica que separa a la persona que fuimos de la persona en quien nos estamos convirtiendo. Y la cicatriz resultante es un recordatorio constante y visible de que hemos navegado con éxito por un rito de paso importante, que hemos "cruzado al otro lado" y podemos celebrar la adquisición de una identidad nueva y más madura.

Así pues, como todos los ritos de paso implican una gran cantidad de lucha, los rasguños en nuestra piel terminan representando los rasguños en nuestra alma que resultan de la lucha por dejar atrás nuestra niñez y asumir las responsabilidades de la adultez joven.

El problema en nuestra cultura, según lo veo yo, no es que los adolescentes se corten sino que nosotros, como sociedad, no hemos creado rituales significativos que les ayuden adecuadamente a los adolescentes a sentir que en verdad hicieron la transición de la niñez a la adultez. Desde luego, a los adolescentes finalmente les permiten conducir, beber, votar, matricularse en la universidad y, en algunos países, presentarse como voluntarios para prestar el servicio militar, pero esos sucesos ocurren mucho más hacia la mitad y el final de la adolescencia que al comienzo. De modo que, de cierta manera, cuando veo a adolescentes que se cortan, me siento fascinado porque me da la impresión de que están recurriendo instintivamente a un método universal para ritualizar el viaje de ser un niño a ser un adulto, y lo están haciendo porque nuestra sociedad, en general, no les está suministrando costumbres bien definidas y saludables que los conduzcan hacia la adultez temprana para que la inauguren oficialmente.

Quizás sientas algo de vergüenza o te sientas incómoda por los cortes —y sospecho que así es porque dudaste en admitir el hecho la primera vez que te pregunté sobre los rasguños en tu brazo— pero en vez de sentirte incómoda y avergonzada creo que sería más productivo considerar los cortes como una manera de demostrarte a ti misma y también a los demás que te estás convirtiendo en una joven mujer y que estás diciendo adiós a tu niñez. El hecho de que percibas el mundo de un modo tan artístico acentúa la probabilidad de que quieras encontrar alguna manera visualmente fascinante de reforzar y exhibir tu transfiguración (al reflexionar sobre la anterior carta que te envié, tal vez en verdad estás buscando una manera de compartir tu sentido artístico con el mundo, y tu cuerpo sea el "lienzo" que exhibes).

Ahora bien, esto no quiere decir que el cortarte no entrañe riesgos. Este hecho implica peligros físicos, como cortar accidentalmente una vena o una arteria o infectarse si utilizas un implemento no esterilizado. Y también plantea peligros sociales: a muchas personas les disgustará ver esos rasguños y a lo mejor reaccionarán de formas que no te agraden, pues podrían concluir que estás enferma o eres anormal, que hay algo drásticamente mal contigo, cuando en realidad tantas cosas están bien.

Pero el *impulso* de cortarte no es, en sí, algo preocupante o poco sano. Por el contrario, a mí me comunica tu sano deseo de salir al escenario y declararte a ti misma y también a los demás tu proceso de maduración, tu disponibilidad para asumir las responsabilidades y los privilegios que vienen con la edad y la madurez.

De modo que supongo que algo que quizás podrías hacer es expresar artísticamente los profundos cambios que estás experimentando de una manera que no signifique un riesgo físico o social. Tal vez podrías dibujar sobre tu cuerpo con lápiz labial, henna o algún otro medio como una forma de demostrar tu evolución. Quizás podrías crear un cuadro o una escultura que evoquen y encarnen la experiencia de liberarte de una identidad al tiempo que te preparas para asumir una nueva. Si no conoces el ballet *El lago de los cisnes* de Tchaikovsky, podrías ir a verlo en teatro o conseguir una versión en DVD, pues es una extraordinaria evocación, mediante danza y música, de la dolorosa pero en último término redentora belleza que se asocia con la metamorfosis.

En todo caso, me interesa ver qué se te ocurre, Amanda, y quería decirte que me parece admirable tu disposición a contarme algo que pensabas que debías mantener en secreto pero que, en mi opinión, en realidad es tan sólo una prueba más de tu transformación.

Con admiración por tu falta de temor,
Dr. Sachs

12

¿Cómo te *atreves?*

Querida Amanda:

Puedo deducir de tu última carta que estás muy enojada conmigo y no tienes que explicarme por qué. Cuando tus padres me preguntaron si debían empezar a hacerte pruebas de consumo de droga debido a su preocupación y sus sospechas y yo estuve de acuerdo en que lo hicieran, supuse que te ibas a poner furiosa.

Te quejaste conmigo de que la prueba de detección de drogas era una intromisión, lo cual es cierto, que viola tu privacidad, lo cual es cierto, y que te hace pensar que no confío en ti, lo cual es cierto en cuanto no creo que siempre seas completamente honesta con tus padres o conmigo (o incluso quizás contigo misma) en lo que respecta a si te drogas, cuándo lo haces y cuánta necesidad sientes de hacerlo.

Aunque no espero que dejes de sentirte enojada conmigo, sí quiero explicarte muy brevemente las razones que sustentan mi sugerencia. Tanto tú como tus padres están hastiados de los constantes y últimamente vanos debates sobre si estás fumando marihuana o no. Tu mamá y tu papá se preocupan cada vez que te comportas de modo extraño, tienes los ojos rojos, estás irritable o entras apresuradamente y subes de inmediato a tu cuarto sin siquiera saludar. Entonces, como es apenas lógico, cuando se preocupan te preguntan si estás drogada y tú siempre dices que no, y ellos no te creen, tú te sientes frustrada y ellos se exasperan contigo, y el ciclo sigue y sigue y sigue.

La ventaja de la prueba de detección de drogas es que con eso terminarán esos interrogatorios tan desagradables e improductivos. Si la prueba da positivo, tus padres sabrán que has estado fumando y podrán abordar el asunto en casa contigo y en las sesiones conmigo. Si la prueba da negativo, ya no tendrás que explicarte ni defenderte y tus padres cederán con más tranquilidad.

Probablemente sepas que muchos adultos, entre ellos los atletas profesionales, incluso piden que les practiquen regularmente pruebas de detección de drogas justamente por esta razón, para que si se presentan cambios observables en su desempeño, ya sea para bien o para mal, no se puedan atribuir al consumo de drogas y no produzcan señalamientos y acusaciones injustas e imprecisas.

Así pues, cuando estuve de acuerdo con la idea de las pruebas de detección de drogas, no fue con la idea de complicarte la vida sino, de hecho, para facilitarles a todos las cosas.

Dicho esto, pasaré a la parte más importante de esta carta, que tiene que ver con el hecho de que estés tan enojada conmigo y te sientas tan traicionada.

Escribiste, al final de tu carta, que después de haber leído todo lo que dijiste, probablemente yo no querría volver a saber de ti, ni verte, ni trabajar contigo, ni escribirte nunca más. En realidad, Amanda, nada podría estar más lejos de la verdad. El hecho de que te importara lo suficiente la relación que hemos estado construyendo tú y yo como para expresar tu indignación, en vez de reprimirla y tragártela o expresársela sólo a otros pero no a mí, me hace sentir incluso más impresionado por cuánto has crecido mientras nos hemos ido conociendo.

Una de las definiciones psicológicas más antiguas de la depresión es que se trata de ira vuelta hacia adentro en vez de hacia fuera; en otras palabras, es ira que se dirige equivocadamente hacia uno mismo en vez de hacia el individuo o individuos que posiblemente la merezcan más. De modo que, a mi juicio, tu capacidad de sentirte furiosa conmigo y decírmelo con tanta franqueza significa que vas a estar menos propensa a la depresión, lo cual es algo bueno. De hecho, valdría la pena que observaras tu estado de ánimo en los próximos días y ver si notas algún indicio, así sea pequeño, de que te sientes menos deprimida.

Además, no creo que en verdad sea posible tener una relación significativa sin que se sienta algo de ira en un momento dado. Obviamente, no queremos que sea la emoción predominante que compartimos con otra persona, pero creo que cometemos un gran error cuando operamos bajo el supuesto de que podemos tener una conexión personal importante sin que ambas partes sientan ira de vez en cuando.

Por lo tanto, en lo que a mí respecta, tengo mucho espacio para que te enojes conmigo y aunque espero que llegues a entender que el hecho de que apoyara las pruebas de detección de drogas no tenía la intención de empeorar las cosas para ti sino más bien de mejorarlas, también espero que nunca sientas que enojarte conmigo significa que no voy a querer saber de ti ni que deje de interesarme por ti, ni que nuestra relación haya terminado.

Has dado un paso importante al expresarme tu queja de una manera tan franca y directa, Amanda. Espero que sea la primera de muchas veces que lo hagas, no sólo conmigo sino también con otros, y que empieces a ver el valor de largo alcance que eso implica.

Con el compromiso de seguir siempre en contacto,

Dr. Sachs

13

¿Por qué me siento tan sola?

QUERIDA AMANDA:

EN TU ÚLTIMA CARTA MENCIONASTE la "terrible, aplastante soledad" que estás sintiendo por estos días, una soledad que parece ser peor de lo que había sido hasta ahora. Esto puede parecer un poco extraño, pero quiero dedicar algo de tiempo a decirte por qué creo que el hecho de que te sientas sola es en realidad una buena señal y por qué es muy importante que te sientas así en este momento.

Como hemos discutido antes, estás pasando por una fase en tu vida durante la cual es necesario que empieces a separarte de otros: de tus padres, de algunos de tus amigos, incluso, hasta cierto punto, de ti misma y de quien solías ser. Cada vez que empezamos el proceso de separarnos de alguien o algo importante, tendemos a sentirnos solos.

Es por eso que los niños pequeños a veces quieren llevar un osito o un muñeco consigo a la cama, a la casa de su niñera o a su preescolar; esos objetos les ayudan a afrontar la intensa soledad que sienten cuando experimentan sus primeras separaciones de sus padres, con quienes están acostumbrados a pasar todo su tiempo.

La separación que tú estás afrontando en este momento, aunque diferente en muchos aspectos, de todos modos no es menos profunda que la del niñito que se siente atemorizado y abrumado cuando no está con las personas que le han estado dando una sensación de seguridad y tranquilidad. Te estás dando cuenta de que ya no puedes contar con que otras personas te cuiden de la forma en que solían hacerlo, y de que necesitas empezar a cuidar de ti misma.

Cuando esta realidad empieza a emerger —y creo que eso es lo que te está sucediendo en este momento— es como si estuviéramos al borde de un enorme abismo que ha sido vaciado de todo salvo de nuestros propios temores, nuestras propias ansiedades, nuestros propios anhelos. Es difícil imaginar sentir algo distinto a una "terrible, aplastante soledad" cuando estamos en el borde de ese abismo y sólo podemos escuchar el triste eco de nuestra propia soledad.

Pero esa misma soledad, por aterradora e inmensa que parezca, nos está diciendo algo esencial. Está manifestando que estamos listos para dejar atrás nuestra niñez, que hemos empezado a soltarnos de las conexiones que han tenido un propósito hasta el momento pero que ya hemos superado y que, de hecho, han empezado a ser un obstáculo y a retenernos.

Lo creas o no, es imposible transitar plena y exitosamente de la niñez a la adultez sin pasar una buena cantidad de tiempo contemplando la soledad, porque la soledad que parece surgir de modo tan ominoso en realidad no es otra cosa que nuestro ser maduro, el alma adulta que se ha abierto y nos está dando la bienvenida, invitándonos a entrar en ella y habitarla.

En tu carta te preguntabas si tu soledad tenía que ver con no ser "atractiva", con no tener una "personalidad agradable", con ser una "inadaptada". Pero yo no creo que tenga que ver con nada de eso. Al fin y al cabo, también has dicho que has tenido amigos cercanos a lo largo de los años, y aunque creo que no estarás de acuerdo conmigo en esto, casi todas las personas con quienes he conversado y que te conocen bien, como familiares y profesores tuyos, dicen que eres muy cálida y bastante encantadora.

Así pues, en lugar de buscar la forma de culparte a ti misma por tu soledad (y debo decir que has desarrollado una gran capacidad para culparte a lo largo de los años; eso es algo que convendría que exploremos en algún momento), creo que sería mejor buscar una manera de hacer las paces con tu soledad y llegar a conocerla mejor. No va a ser un estado permanente y, en mi opinión, es tan sólo una prueba más de que estás evolucionando.

Otra cosa que te quiero recordar y que está a tu favor es que los individuos altamente creativos como tú a menudo se sienten marginados durante la adolescencia. La razón de esto es que una de las maneras más fáciles y seguras de pasar por la adolescencia es ser conformista, volverse lo más parecido posible a los demás. Aunque esto les funciona bien a algunos estudiantes, va en contra de alguien que, como tú, se enorgullece con razón de su carácter único y de no ser como todos los demás.

Sin embargo, si cumples tus planes de entrar a la universidad o a un instituto de arte, finalmente te verás rodeada de muchos pares que piensan como tú y que también valoran la originalidad por encima de lo convencional, y la imaginación por encima del conformismo. Eso, junto con el hecho de que gradualmente vas a sentirte más a gusto con tu nueva identidad de adulta, te ayudará a combatir la soledad y a evitar que se vuelva tan agobiante.

Sin embargo, pese a que creo que esto dejará de ser un problema con el tiempo, sinceramente espero que nunca pierdas la capacidad de sentirte sola, porque es justamente cuando nos sentimos solos que somos no sólo más fieles a quienes somos en verdad, sino también cuando nos abrimos más a la posibilidad de ser quienes podemos ser. Nuestra cultura no valora la soledad, no crea espacio para estar solos, de modo que a veces tenemos que buscar ese espacio nosotros mismos.

Y una cosa más: no olvides que el hecho de escribirme para contarme que te sientes sola te ayudará a entender tu soledad. Me complace mucho que fueras capaz de salir de ti misma lo suficiente como para hacerlo.

Tu compañero en la soledad...
Dr. Sachs

14

¿Por qué mi hermano tiene que ser tan perfecto?

QUERIDA AMANDA:

EN LA CARTA QUE TE ESCRIBO ESTA TARDE quiero retomar un tema que surgió en nuestra sesión más reciente. Cuando empezaba a conocerte, una vez describiste a tu hermano mayor, Craig, como el "príncipe" de la familia, y de hecho sí da la impresión de estar entronizado. Tus padres parecen estar completamente orgullosos de él y de todo lo que hace: obtiene buenas calificaciones en la escuela, es un atleta talentoso, es guapo y bastante popular. Parecen no tener ninguna queja y cuando les he preguntado por él, me cuentan con entusiasmo sus numerosos logros y éxitos. Es como si a sus ojos fuera perfecto y simplemente no pudiera hacer nada malo.

En una carta reciente, me escribiste diciéndome lo injustas que parecen ser las cosas en tu casa, cómo a lo largo de los años ha habido una "doble moral", con Craig recibiendo siempre los elogios, el crédito y el beneficio de la duda, mientras que a ti siempre te recaen la culpa y las críticas, es como si todo el tiempo desconfiaran de tí.

Todo esto me parece especialmente interesante a la luz de los sucesos del último fin de semana, según me contaron tus padres, cuando (como bien lo sabes) Craig organizó una fiesta para sus amigos en tu casa mientras tú y tus padres estaban de viaje donde tus abuelos. Él hizo una fiesta que se salió de las manos y produjo varias citaciones por abuso de alcohol, incluida la que le entregaron a tu supuestamente inmaculado y virtuoso hermano.

Lo que me llamó la atención sobre la versión de tus padres se ajusta a tu percepción de que en tu casa existe una doble moral: aunque les disgustó la falta de buen juicio de Craig, no parecían especialmente enojados con él ni le habían impuesto ningún tipo de castigo por haber roto las reglas de manera tan flagrante (aunque eso podría cambiar después de la conversación telefónica que sostuvieron conmigo la otra noche). Según parece, en su opinión la citación por abuso de alcohol que recibió y las ramificaciones legales que se desprendan de esto son "castigo suficiente" para él.

En una de las primeras cartas que me escribiste mencionaste que Craig bebe bastante, más de lo que tus padres creen o, mejor, más de lo que quizás *quieren* creer. También te has preguntado en varias ocasiones por qué siempre tiendes a "meter la pata", sobre todo cuando las cosas finalmente parecen estar marchando mejor para ti.

A manera de explicación, quiero proponerte algo que quizás no parezca tener mucho sentido a primera vista, pero sobre lo cual de todos modos me gustaría que reflexionaras.

¿Recuerdas cuando conversamos sobre tu rompimiento con Peter y yo planteé que tú te habías sacrificado por él? Creo que durante mucho tiempo te han asignado, y tú has aceptado obedientemente, el papel de sacrificarte por Craig, protegiéndolo y manteniéndolo entronizado en el pedestal que tus padres han construido tan amorosamente para él.

Y creo que una de las maneras en que tú cumples ese papel es seguir creando suficientes dificultades como para que Craig siempre parezca muy bueno en comparación contigo, de modo que la atención de tus padres siempre se desvíe de los problemas de él y se concentre en los tuyos.

Una vez más, no estoy diciendo que tú estés desempeñando ese papel conscientemente; de hecho, una de las razones por las cuales saco a relucir esto es porque quiero que estés más consciente de las motivaciones que parecen estar por fuera de tu mente consciente. Al fin y al cabo, como ya hemos visto, cuando entendemos aquello que subyace nuestro comportamiento, por invisible que sea, se vuelve mucho más fácil cambiar ese comportamiento. Pero de todos modos quiero que medites sobre esta posibilidad, porque estoy convencido de que explicaría mucho de lo que sucede.

Para que mi punto de vista quede un poco más claro, te explicaré los antecedentes. En una carta anterior que te escribí, sugerí que una de las razones por las cuales tu padre quizás tuviera dificultades para seguir conectado contigo era que le recordabas a Delia, su hermana autodestructiva. Otra parte de tu historia familiar que tus padres me han contado y que tú ya conoces es que las primeras dos veces que tu madre quedó embarazada tuvo pérdidas.

Las pérdidas repetidas, como bien podrás imaginar, le producen a la pareja un dolor inimaginable. Tus padres manejaron esto lo mejor que pudieron y como es apenas natural siguieron intentando formar una familia, cosa que obviamente lograron.

Pero una de las cosas que a veces sucede después de una pérdida como la que sufrieron tus padres es que exaltan al bebé que finalmente nace, el que sobrevive; en este caso, ese bebé fue Craig. Se sienten *tan* agradecidos, *tan* bendecidos y *tan* felices de tener un hijo saludable, que ese hijo o hija "no puede hacer nada mal".

Desde luego, no existen niños perfectos, ni siquiera aquél que restaura la fe de sus padres después de semejante desgracia. De modo que la madre y el padre se empeñarán arduamente en hacer caso omiso de todas las fallas y los problemas que plantea el niño ungido, con el fin de mantenerlo bañado en la luz pura de la perfección y protegerse a sí mismos de los recuerdos insoportablemente dolorosos.

Algo que puede ayudar en este proceso es tener un segundo hijo, porque así ese hijo o hija puede convertirse en contenedor de todos los defectos, fallas y problemas que no quieren imaginar que el primer hijo tiene. Con un "niño malo" completando el panorama, es mucho más fácil para los padres sentirse orgullosos del "niño bueno".

En cierto sentido, es como lo que sucede en la Biblia, cuando un solo chivo es designado como "chivo expiatorio" y la comunidad entera lo carga simbólicamente con todos sus pecados colectivos y luego lo envía al desierto para así sentirse ritualmente limpiada de sus transgresiones. El "niño malo" es el chivo expiatorio de la familia, pues sirve el importante propósito de asumir y descargar la carga negativa del resto de la familia, y así todos se sienten libres, impolutos y limpios.

El problema, desde luego, es que en la mayor parte de los casos nadie está consciente de que se está desarrollando este complicado proceso. Los padres en verdad creen que un hijo es mejor que el otro y, por supuesto, se acostumbran a tratar a ese hijo mejor, lo cual tan sólo refuerza el desequilibrio total porque es mucho más fácil ser juicioso si a uno lo tratan como si fuera totalmente juicioso o, por el contrario, ser malo cuando a uno lo tratan como si fuera totalmente malo.

Algo igualmente importante, los niños mismos pueden llegar a creer que uno de ellos es mejor que el otro. El primero pensará literalmente que "no puede hacer nada mal", como si eso fuera un hecho, y el segundo pensará literalmente que "no puede hacer nada bien", como si esto también fuera cierto.

Los hermanos y hermanas a menudo quedan atrapados en sus roles respectivos, y creo que eso es lo que ha sucedido en tu familia. Sin saberlo, tú has aceptado que tu familia te designara como chivo expiatorio familiar, ese que impide que ellos reconozcan o acepten la responsabilidad por los problemas o dificultades que cada uno de ellos tiene, y tú te has convencido de que tu posición consiste en crear problemas y dificultades para que tu implacable e incomparable hermano pueda seguir brillando y deslumbrando.

Tú te quejas conmigo porque tus padres se niegan a darse cuenta del problema de alcohol de tu hermano, pero simultáneamente creas tantos otros problemas que ellos no tienen razón para examinar con sumo cuidado el comportamiento de él o tomar muy en serio los momentos en que cruza la línea, incluso de modo peligroso, como lo hizo la semana pasada.

Por eso quiero que reflexiones sobre por qué le facilitas tanto a tu hermano el que sea el "hijo perfecto", por qué te empeñas tanto en ser la "hija imperfecta", y si es una buena idea que sigas sacrificándote para preservar el reinado de Craig como "príncipe" de la familia. Cada integrante de una familia será en algún momento un poco chivo expiatorio, pero los problemas se agravan si un solo individuo se convierte en el único chivo expiatorio, y sospecho que eso es lo que ha sucedido en tu familia.

Una cosa para la cual te tendrás que preparar es que si en efecto decides renunciar al papel de chivo expiatorio y permitirte seguir adelante, el equilibrio de la familia va a cambiar. Es posible que tus padres se empiecen a preocupar más por las imperfecciones de Craig, o él podría tratar de buscar maneras de volverte a poner en tu papel de chivo expiatorio para proteger y preservar su realeza, una posición que le reporta muchos beneficios.

Reflexiona un poco sobre esto, y veamos qué sucede si ensayas a hacer las cosas de manera un poco diferente.

Como siempre, gracias por tolerar algunas de mis hipótesis y especulaciones "ilógicas"; lo entenderé si piensas que estoy un poco chiflado, pero espero que aun así me soportes.

Un cordial saludo,
Dr. Sachs

15

¿Estoy lista para tener relaciones sexuales?

QUERIDA AMANDA:

TE VAS A SENTIR YA SEA ALIVIADA O MOLESTA por el tema de esta carta —probablemente un poco de ambas— pero espero que, como nos conocemos desde hace ya algún tiempo, la recibas con el espíritu con que fue escrita.

En mi última reunión con tus padres, a la que no asististe porque estabas enferma, tu mamá me dijo que le habías pedido que te ayudara a conseguir píldoras anticonceptivas y ella no estaba segura de qué debía hacer o cómo debía responder. Como hablé con ellos sobre este asunto también quise compartir contigo algunas de mis reflexiones, con la esperanza de que pueda ayudarles, tanto a ti como a tus padres, a tomar la mejor decisión posible.

Ante todo, por varias razones diferentes me complace saber que le pediste esa ayuda a tu madre. Por un lado, hace pensar que tu relación con Dante, con quien según entiendo llevas saliendo desde hace algunos meses, se está profundizando. En segundo lugar, demuestra que estás pensando de antemano sobre qué tipo de intimidad sexual les gustaría compartir a ambos y que deseas prevenir un embarazo no deseado utilizando un método anticonceptivo seguro y fácilmente disponible. En tercer lugar, denota un deseo de tu parte de conversar con tu madre sobre un asunto personal importante, lo cual es un indicio de que estás confiando un poco más en ella.

Así pues, por todas estas razones creo que es prometedor escuchar que este tema es importante para ti, y, sin duda, desearía que más adolescentes estuvieran dispuestos a conversar con adultos acerca de decisiones tan importantes, en vez de sentir que tienen que tomar decisiones complicadas solos o únicamente con la ayuda de sus amigos. Como yo soy uno de esos adultos, espero que toleres que exprese mi punto de vista.

El placer sexual es uno de los placeres más especiales y profundos, simplemente por el hecho de que es maravilloso cuando se experimenta en el contexto de una relación con otra persona. De hecho, siempre me he sentido un poco frustrado con parte de la educación sexual que se les ofrece a los niños y los adolescentes, porque aunque se marca un énfasis comprensible e importante en ser responsables y cuidar de la salud —aspectos que tú claramente estás teniendo en cuenta al buscar un control natal efectivo—, no se enfatiza en lo placentera que puede y debe ser la intimidad sexual.

De modo que creo que nuestra sociedad les dificulta bastante a los chicos y chicas como tú y Dante tomar decisiones acertadas sobre el tipo de actividad sexual que desean. Por una parte, los bombardeamos constantemente con imágenes en las revistas, el cine, la televisión y los anuncios de Internet que subrayan el "placer del sexo" y lo hacen parecer todo como carente de esfuerzo y preocupaciones, algo casual y espontáneo. Al mismo tiempo, se les advierte constantemente —a veces de maneras terroríficas— sobre los múltiples riesgos que plantean el interés y la actividad sexual, como el embarazo, las enfermedades de transmisión sexual, la violación y el potencial de heridas emocionales y humillaciones.

También diría que, pese a algunos cambios culturales positivos que se han producido en los últimos decenios como resultado del feminismo, para las niñas la toma de decisiones sexuales sigue siendo especialmente complicada. Todavía observo una doble moral, tanto en los padres como en los adolescentes, que sugiere que a las niñas no les debe interesar mucho el sexo, y que si les gusta, deben de ser "putas" o "rameras" (los chicos a quienes les interesa el sexo, por supuesto, son admirados y alabados como "sementales").

A las niñas y las adolescentes todavía les enseñan que su valor propio depende en gran medida de ser sexualmente atractivas y deseables y de saber cómo "jugar el juego de las citas". Al mismo tiempo, a los chicos les dicen que deben "recibir" (como "recibir una felación" o que "se lo dé una chica") en vez de "dar" y compartir el placer sexual.

Y aunque se supone que a las mujeres no les debe interesar el sexo tanto como a los hombres, siguen siendo las que deben responder primordialmente por los métodos anticonceptivos. Pero si de hecho, están preparadas, se les juzga con dureza y se les percibe como "muertas de ganas". Nada de raro tiene, entonces, el hecho de que a los adolescentes, y sobre todo a las chicas, les parezca todo tan loco y confuso; para ellas es como si no hubiera ninguna manera de ganar, de abrir un camino sano y sensato hacia una sexualidad saludable.

A lo largo de los años, muchas familias han acudido a mí en busca de consejos cuando sus hijas adolescentes han pedido ayuda para conseguir control natal. Una de las cosas que a menudo parece suceder es que ensillan las bestias antes de traerlas y tratan de afrontar el tema antes de que se hayan planteado y resuelto otros asuntos más importantes.

En tu caso, como sólo conoces a Dante desde hace algunos meses, la cuestión más importante que tú y tu familia deben considerar no es "¿puedo conseguir píldoras anticonceptivas?", sino "¿qué tipo de relación con Dante quiero y qué tan cerca de él quiero estar ahora?"

Como probablemente ya lo sabes, el comportamiento sexual implica no sólo el acto sexual en sí sino también cualquier contacto físico entre dos personas que sienten placer como resultado de ese contacto. En este sentido, tomarse las manos puede ser tan sexual como el sexo oral; un beso en la mejilla puede ser tan sexual como un beso profundo en la boca; un brazo alrededor del hombro puede ser tan sexual como el coito. Lo que distingue a estos comportamientos unos de otros es su significado, lo que dicen acerca de la relación mutua de dos individuos.

En cierto sentido, uno podría imaginar que todas estas interacciones ocurren a lo largo de un amplio espectro: en un extremo las que requieren relativamente poco compromiso, confianza, madurez y riesgo físico y emocional (tomarse de la mano, abrazarse, bailar con desenfado); en la mitad del espectro, las que exigen un grado relativamente mayor de compromiso, confianza, madurez y riesgo físico y emocional (besos profundos, tocarse los senos y los genitales con o sin ropa); y en el otro extremo, las que exigen el mayor compromiso, confianza, madurez y riesgo físico y emocional (coito, sexo oral).

A menudo, cuando tenemos una relación, podemos armonizar la naturaleza de nuestra interacción sexual con la cantidad de cercanía relacional que deseamos. Las cosas se sienten muy bien, con ambos miembros de la pareja a gusto y contentos con cuánto de sí mismos están compartiendo con el otro.

A veces, sin embargo, por diversas razones las personas toman decisiones acerca de la naturaleza de su interacción sexual que no están en sincronía con la cantidad de cercanía relacional que buscan. En esas ocasiones, la relación se pone en riesgo y somos vulnerables al dolor emocional.

El tipo de actividades que compartimos físicamente en una relación, y hasta qué punto lo hacemos, en realidad, no se diferencia mucho del tipo de información que compartimos, y hasta qué punto lo hacemos. Mientras podríamos fácilmente contarle cuál es el libro, película, restaurante o tipo de música que más nos gusta a casi cualquier persona con quien conversemos, sólo revelaríamos asuntos más personales, tales como nuestras creencias religiosas, nuestra dirección o nuestros planes profesionales a alguien con quien ya hemos establecido cierto nivel de confianza y cercanía. Y sólo compartiríamos nuestros pensamientos y sentimientos más profundos y secretos con alguien en quien confiamos *por completo*, que nunca violaría esa confianza juzgándonos o divulgando esos pensamientos y sentimientos privados a terceros sin nuestra autorización.

Lo que conviene recordar es que cuando uno le ha revelado un secreto íntimo a alguien, así como es imposible revertir el proceso y fingir que nunca sucedió, o evitar con plena seguridad que esa persona lo traicione a uno, también cuando se llega a cierto nivel de comportamiento sexual con alguien, es imposible revertir el proceso y fingir que nunca sucedió; es algo que cambia para siempre la naturaleza de tu cercanía con esa persona.

A veces, desde luego, eso es exactamente lo que queremos que suceda, por ejemplo, cuando hemos establecido una relación que se está desarrollando muy bien, que se caracteriza por un nivel cada vez mayor de amabilidad, confianza, comunicación y respeto. Otras veces, sin embargo, el nivel de comportamiento sexual trabaja en contra de la relación, y uno o ambos miembros de la pareja lamentan los pasos que dieron hacia la intimidad sexual. En esos momentos, la relación, así como los dos individuos que la componen, sufre y es difícil regresar y reinstaurar el equilibrio y el nivel de comodidad del que se disfrutaba antes.

Es sobre eso que quiero que tú reflexiones ahora. Si estás plenamente convencida de que en este momento de tu relación con Dante estás perfectamente lista, no sólo para afrontar los riesgos emocionales y físicos que entraña el acto sexual (incluido el embarazo, porque ningún método de control natal es infalible), sino también para el mayor nivel de compromiso y cercanía con Dante que resultará de ello, entonces tú y tu madre deben reunirse con tu ginecólogo y decidir cuál es la mejor opción anticonceptiva disponible (recordando —siento mucho si parezco como si te sermoneara— que muchos anticonceptivos efectivos no previenen simultáneamente contra las enfermedades de transmisión sexual). Esto no significa que *tienes* que realizar el acto sexual, sino simplemente que por lo menos has eliminado algunos de los riesgos que eso entraña en el momento en que decidas hacerlo.

Sin embargo, si tienes algún tipo de duda con respecto a dar este paso, indiscutiblemente lo mejor es que seas paciente y esperes, y que le digas a Dante que no crees que tú o la relación están listas para el tipo de compromiso sexual que ambos han estado contemplando. Recuerda que mientras más tiempo le da una pareja a una relación para que se profundice y se expanda antes de iniciar la actividad sexual, más grata y significativa será finalmente dicha actividad.

Si decides esperar y si Dante te quiere y valora la conexión que los dos han establecido, él respetará tus deseos y apreciará tu honestidad. Si no lo hace, si insiste en que, pese a tus dudas de todas maneras los dos deben proceder y tener relaciones sexuales, si él sugiere que el futuro de la relación de ustedes depende de que den ese paso inmediatamente, entonces tendrías que cuestionar la base de tu relación con él y preguntarte si tal vez a él le interesa más utilizarte que quererte.

Sé que este es un asunto muy complicado y que parte de ti quizás querría que yo simplemente convenciera a tus padres de que aprueben el hecho de que tomes la píldora y hagan caso omiso de todo esto que te he dicho, pero como bien lo sabes, yo quiero lo mejor para ti y me importas demasiado como para no compartir contigo mis reflexiones sobre este tema.

Como siempre, incluso si no estás de acuerdo conmigo, espero que mantengamos abierta nuestra comunicación y que sigamos en contacto.

Respetuosamente,
Dr. Sachs

16

¿Por qué hago lo que hago?

Querida Amanda:

Como bien lo sabes, tus padres me telefonearon el viernes por la noche cuando te enojaste porque no te dieron permiso de salir con tus amigos pues pensaban que no habías arreglado tu cuarto como te habían dicho y te pusiste a arrojar objetos por toda la casa y a amenazar con fugarte o hacerte daño. Como este tipo de actos perturbadores (para tu madre y tu padre) ya se han presentado antes, me puse a reflexionar sobre cuándo suceden, y se me ocurrió una hipótesis que me gustaría compartir contigo.

Sé que tu padre, como parte de su trabajo, viaja bastante y a menudo se ausenta durante varios días seguidos, por lo menos, una vez al mes. Tu mamá me ha comentado que a pesar de que esta rutina se repite desde hace muchos años —desde antes de que tú y tu hermano nacieran—, todavía se preocupa cuando él está de viaje.

Mientras revisaba mis notas, una de las cosas que observé fue que ninguna de estas crisis o emergencias "suscitadas por Amanda" se presenta cuando tu papá está lejos de casa. Es casi como si te "comportaras bien" cuando sólo están tú, tu hermano y tu madre en casa.

Como dato interesante, tampoco pude dejar de observar que las crisis y emergencias que *sí* se presentan casi siempre ocurren poco antes de que tu papá salga de viaje o justamente después de que regresa. Tu papá incluso mencionó este hecho cuando hablamos por teléfono. Acababa de regresar después de un viaje de cuatro días y me comentó: "¿Por qué estas cosas siempre tienen que pasar justo cuando regreso? ¡No llevo más de veinticuatro horas en casa cuando todo explota!"

Tu mamá también me mencionó esto en una ocasión con cierta impaciencia. Recuerdo, durante una cita a la que tú no asististe, que observó que siempre temía el par de días anteriores a uno de los viajes de tu papá porque "ahí es cuando todo parece ir de mal en peor; es como una alarma que se enciende y es el momento en que Amanda se descontrola".

Suponiendo que este patrón tenga alguna validez, aventuraré una explicación sobre lo que podría estar sucediendo y me gustaría que la consideraras. Probablemente no es nuevo para ti saber que tu mamá y tu papá han sufrido algunos altibajos como pareja a lo largo de los años. Nunca se han separado y jamás me han sugerido que hayan pensado hacerlo en este momento, pero ha habido períodos en los que ninguno de los dos se ha sentido muy contento con el otro y se han preguntado sobre el futuro de su relación. Me han dicho que han atravesado por fases en las que no comparten la cama —algo que saben que tú has observado y comentado— y eso por lo general es un indicio de que las cosas no marchan muy bien en la pareja. Quizás recuerdes haberme mencionado esto también, en una de tus primeras cartas, cuando te preguntabas por qué tus padres permanecen juntos cuando casi nunca parecen disfrutar de su compañía mutua.

Ahora bien, tus padres llevan más de veinte años casados, y es imposible vivir juntos durante tanto tiempo sin que se presenten algunos altibajos. No sé qué te imagines tú que es un matrimonio, pero ningún esposo y ninguna esposa se sienten complacidos el uno con el otro todo el tiempo, y siempre surgen diferencias de opinión en asuntos que van desde el dinero y el trabajo hasta la crianza de los niños, el sexo y los suegros, y eso es algo normal en el terreno marital.

Cuando las cosas se tornan tensas y difíciles, algunas parejas empiezan a pelear cada vez más; es como si su matrimonio se convirtiera en un campo de batalla, en el que los conflictos más pequeños se intensifican rápidamente hasta convertirse en una guerra declarada. Otras parejas, cuando las cosas se ponen tensas y difíciles, hacen todo lo contrario y se distancian el uno del otro; es como si su matrimonio se convirtiera en un cementerio, con todas las quejas y los agravios enterrados a medida que se van alejando cada vez más, en su empeño por evitar afrontar sus conflictos.

Según lo que he observado, tus padres se ajustan más a esta última categoría que a la primera. Y creo que como tú eres tan astuta y eres una hija tan consciente de sus deberes, inmediatamente intuyes la brecha que se empieza a abrir entre ellos y, a manera de reflejo, sin siquiera estar consciente de esto, haces lo que puedas para acercarlos de nuevo. En tu caso, creo que lo que has aprendido es que si creas una crisis lo bastante grande, tus padres de repente encontrarán maneras de superar su distancia y sus diferencias y se acercarán el uno al otro para decidir qué hacer contigo. Es como si una vez más encontraras una manera de sacrificarte, de darles una razón para acercarse durante un momento en que quizás se estén sintiendo un poco hastiados el uno del otro, y de brindarles la oportunidad de convertirse en equipo, en aliados en vez de enemigos.

"¿Qué vamos a hacer con ella?" y "¿qué castigo debemos imponerle?" son las preguntas que hacen, las que parecen acercarlos, en vez de preguntarse "¿por qué mi cónyuge es tan imposible?" o "¿por qué me casé con él o ella?", pues estas preguntas podrían distanciarlos aún más.

Lo curioso es que tus padres perciben tus problemas y tus crisis como prueba de que tú *no* te preocupas por ellos. "¿Por qué tiene que desquiciarse justo antes de que se vaya su papá?" y "¿por qué tiene que ser tan difícil en el instante en que regreso de un viaje?", se preguntan, totalmente ajenos a tu agenda secreta (que incluso para ti misma es secreta, sospecho). La realidad como la veo yo, sin embargo, es que el proceso se echa a andar con esta frecuencia previsible precisamente porque *tú te preocupas tanto*, porque te sientes obligada a hacer lo que esté en tus manos para recordarles su alianza y su compromiso el uno con el otro, para ayudarles a redescubrir las razones, la motivación y la voluntad de seguir juntos, sobre todo cuando están a punto de estar separados durante unos días, o cuando tienen que adaptarse a estar nuevamente en presencia del otro.

Entonces esto es lo que te voy a proponer. Creo que ya has llevado durante suficiente tiempo la carga de tratar de mantener a tus padres unidos, y aunque has vuelto a asumir otro acto de autosacrificio con valentía y sin quejas, es hora de que te liberes de la responsabilidad de hacerlo; es una tarea pesada, te quita energía y en realidad ni a ti ni a tus padres les ayuda el hecho de que sigas cargando con eso. Me gustaría ayudarte a que te liberes de esa carga, y para facilitarte las cosas, te voy a pedir que me dejes a mí llevar esa carga *por ti* durante un tiempo.

He programado varias citas con tus padres sin tu presencia para que puedan empezar a concentrarse en sí mismos y en mejorar su relación como esposo y esposa, no sólo como padre y madre, y ver si les puedo ayudar a aliviar un poco las cosas. No te puedo garantizar que tendré éxito, y desde luego no tengo una bola de cristal, pero mientras estoy ocupado tratando de darles a ellos una mano, quisiera que tú tomes distancia un rato y me des la oportunidad de realizar mi trabajo. En este caso, tomar distancia significaría liberarte del compromiso de plantear las crisis y los problemas que son tu intento calculado de regresar a tus padres a la misma órbita el uno con el otro.

Espero que no te ofendas por el hecho de que te "despida" del trabajo que has venido realizando, y no estoy diciendo que nunca puedas volver a asumirlo ni que no lo hayas hecho bien; de hecho, es muy posible que uno de los motivos por los cuales siguen juntos es que tú les has dado algunas razones sólidas para hacerlo. Pero aunque una buena parte de tu comportamiento problemático podría haber sido originalmente diseñado para ayudarles a permanecer comprometidos el uno con el otro, simultáneamente les está dificultando avanzar como pareja y afrontar en verdad su matrimonio. En otras palabras, tus esfuerzos, por consagrados y bien intencionados que sean, parecen haber perdido ya su efectividad. Además, ¿qué van a hacer cuando tú te gradúes y te marches de casa? No pueden depender de ti para siempre.

De modo que a manera de experimento (¡uno más!), me gustaría que por el momento mantengas las cosas lo más tranquilas posible durante los días previos a las partidas de tu padre y los primeros días después de que regrese, y veamos qué sucede.

Entre tanto, también me gustaría que reflexionaras un poco sobre el tema general al que nos hemos referido aquí, y del cual este asunto es un ejemplo específico. Me refiero a tu tendencia a sacrificarte y donar partes de ti para mejorarles las cosas a los demás, a ser más fiel y leal con otros que contigo misma. Hemos visto evidencia de esto en tu relación con Peter, en tu relación con tu hermano Craig y en tu relación con tus padres. Me pregunto qué sucedería y cómo se sentiría de diferente tu vida si fueras un poco más cuidadosa contigo misma y un poco menos cuidadosa con todos los demás.

Tu clínico curioso,
Dr. Sachs

17

¿Por qué
es tan dolorosa la vida?

QUERIDA AMANDA:

ME QUEDÉ MUDO TRAS LEER TU ÚLTIMA CARTA, en la que me contaste que tu amigo Daryl había fallecido en un accidente de tránsito. Siempre es difícil aceptar la muerte de *cualquier persona,* pero cuando se trata de la muerte de una persona joven, y además esa persona joven es un amigo entrañable, el sentimiento de pérdida y dolor puede ser casi insoportable.

Recuerdo que habías mencionado a Daryl en un par de cartas anteriores, y me habías contado cómo ambos compartían un sentido del humor "bizarro", cómo trabajaban juntos en la revista literaria de la escuela, cómo había estado a tu lado tantas veces en que te sentiste perdida y sola.

En tu carta, con toda razón, te hacías la pregunta que todos debemos hacer cuando tenemos que afrontar una realidad que parece dura, cruel e injusta: "¿Por qué tuvo que suceder esto?"

La respuesta, infortunadamente, es que nadie lo sabe. Uno de los retos más formidables de crecer es verse forzado a afrontar un mundo que no siempre nos trata muy bien, ni a nosotros ni a las personas a quienes amamos. A veces, las heridas que nos inflige la vida son temporales y podemos recuperarnos totalmente a base de cuidados y tiempo. Otras veces, sin embargo, duran para siempre, y nos dejan unas cicatrices que nunca sanan del todo. La piel de nuestro mundo sufre una herida que es demasiado profunda para ser cosida, y sigue siendo un recordatorio constante de la persona que fue arrebatada tan súbita y desalmadamente de nuestro mundo.

En este momento te sientes impactada y tambaleante, sumida en un dolor que es más profundo que cualquier otro que hayas padecido antes. Así debe ser, y nada que yo te pueda decir te aliviará, ni tampoco debe hacerlo. En realidad estás haciendo exactamente lo que se supone que debes hacer, que es entrar y experimentar el profundo dolor que acompaña una gran pérdida.

Lo que quiero que recuerdes, sin embargo, es que el dolor, por duro que sea, tiene un propósito: sin saberlo nos muestra un camino para seguir en medio de la interminable oscuridad, que finalmente nos lleva lentamente, estremecedoramente, de vuelta a la luz.

Desde luego, se requiere mucho coraje para hacer un duelo total por lo que hemos perdido, y no es un proceso que se debe organizar, curar, trancar o acortar.

Pero no cometas el error de pensar que existe una manera particularmente "correcta" o "incorrecta" de lidiar con la pérdida. Algunas personas lloran y otras no; unas personas montan en cólera y otras no; algunas mencionan con frecuencia al fallecido, otras no; unas van al funeral o visitan la tumba, otras no. Todo el mundo hace el duelo a su manera, y esa manera se debe respetar y aceptar.

Tampoco existe un momento o un horario correcto para hacer el duelo; la única respuesta real a la pregunta "¿cuánto tiempo me sentiré triste?" es "el tiempo que sea necesario". Eso no significa que siempre vas a sentirte tan triste como te sientes ahora, pero sí significa que el duelo es un proceso de por vida, que va cambiando con el tiempo pero nunca termina del todo.

Pero sea como sea tu proceso de duelo por Daryl, y sin importar cuánto dure, es importante que recuerdes que un dolor que se experimenta plenamente es, en último término, un proceso que nos profundiza y nos despierta, que nos libera y nos ilumina. En realidad no sabemos quiénes somos sino cuando hemos sufrido y hemos luchado con valentía para darle sentido a ese dolor y hemos seguido adelante. Un rabino sabio escribió una vez que "nada es tan entero como un corazón roto". Creo que lo que quiso decir con eso es que en realidad nunca vivimos nuestras vidas plena y cabalmente a menos que hayamos experimentado la desesperación que nos acomete cuando la vida nos rompe el corazón.

Desde luego, probablemente, y comprensiblemente, estés pensando que tú renunciarías gustosa a toda esta sabiduría y autoconocimiento, a toda esta profundización y este despertar, a esta liberación y esta iluminación, a cambio de tener a Daryl nuevamente en tu vida, si pudieras una vez más cortarle el pelo, hacerlo reír, atormentar a su estrafalario perro y quedarte hasta tarde viendo películas malas con él. Pero esto, como bien sabes, no es algo que esté en tus manos.

Lo que *sí* puedes hacer, sin embargo, es decidir cómo vas a mantener vivo el recuerdo que te queda de él, cómo vas a seguir encarnando lo que él representaba y cómo vas a permitir que esta tragedia te transforme. Esto no es algo que debas tratar de hacer en este momento; ahora tan sólo te corresponde aceptar y soportar esta indescriptible pérdida.

Pero finalmente la mejor manera de seguir viviendo después de haber experimentado una muerte, sobre todo una tan súbita e inexplicable, es permitir que la pérdida nos eleve y nos sostenga. Viktor Frankl, un psiquiatra que sobrevivió a los campos de concentración durante la Segunda Guerra Mundial, escribió que "la muerte le da sentido a la vida". Tu trabajo es no huir y convertirte en fugitiva de tu duelo, sino permitir que la tristeza que estás sintiendo te impregne y te ayude a descubrir quién eres y qué cosas en tu vida son las más significativas, las más preciosas, las más sagradas.

Es imposible evitar un gran dolor: siempre nos perseguirá y nos hallará, por mucho que nos ocultemos. Pero las lecciones que nos traen un gran dolor siempre están disponibles; quizás no acojamos con agrado estas lecciones, pero sí podemos decidir cómo nos van a cambiar y nos van a ayudar a madurar. Cualquier angustia trae consigo numerosos tesoros enterrados, y nuestro trabajo en estos momentos es excavar estos tesoros y llevarlos a la superficie, de modo que tengan la posibilidad de enriquecer nuestras vidas y las vidas de los demás.

Hay algunos otros temas y preocupaciones que me expresaste y que quiero cerciorarme de abordar en esta carta. Uno de ellos es que sientes una carencia porque nunca tuviste la oportunidad de despedirte de Daryl, que él llevaba muerto varias horas antes de que te enteraras de lo sucedido. Sin duda, uno de los aspectos más perturbadores que plantea esto para ti es que te tomó tan de sorpresa su deceso que no tuviste la oportunidad de compartir con él cuánto lo querías, cuánto lo valorabas, cuánto lo echarás de menos, y todos los demás pensamientos y palabras que albergas en tu corazón y que te hubiera gustado que él escuchara.

Con esto en mente, hay un par de cosas sobre las cuales conviene reflexionar.

En primer lugar, en una ocasión leí que lo que separa a los vivos de los muertos no es un muro sino una ventana. Aunque comunicarse con la persona que hemos perdido a través de una ventana no es lo mismo que *estar* con ella, de todos modos eso nos permite darle un vistazo y nos provee una conexión imperecedera que nos puede consolar y hacernos sentir menos solos.

En segundo lugar, una paciente mía cuyo padre había muerto me contó que a menudo solía soñar con él por las noches, pero luego se despertaba muy triste por la mañana porque tan pronto abría los ojos recordaba que sólo había sido un sueño y que él en realidad ya no estaba presente como parte de su vida. Sin embargo, al cabo de un tiempo aprendió a percibir estas visitas a su mundo de sueño como un obsequio —una oportunidad, por fugaz que fuera, de estar juntos, de verlo, de experimentarlo, de amarlo y de echarlo de menos— y no como algo doloroso.

Te cuento estas cosas porque aunque Daryl falleció, no creo que sea demasiado tarde para que te despidas de él. Creo que debes pensar que él te está escuchando y que debes decirle todas las cosas que hubieras querido decirle pero que no tuviste oportunidad de hacerlo. Ya sea que se lo digas en tu pensamiento, o por escrito, sola o en el cementerio, todavía le puedes decir lo importante que fue para ti, cuánto te dio, las cosas por las que nunca lo olvidarás, las cosas por las cuales le quieres dar las gracias, las cosas que le quieres perdonar o por las que quieres que él te perdone, lo que representó y las convicciones que tú sostendrás por él durante el resto de tu propia vida. Creo que las despedidas son muy importantes, pero no pienso que la importancia de un adiós sea menor sólo porque se hace después de que la persona se ha ido.

También mencionaste que te sientes culpable, y que estabas contemplando la posibilidad de cortarte de nuevo como respuesta a esa culpa. Amanda, no conozco a nadie que haya perdido a alguien importante y que no sienta algo de culpa, incluso si su relación era en esencia sana y satisfactoria, incluso si no tuvo nada qué ver con la muerte del ser querido.

A veces es más fácil o mejor para nosotros sentirnos culpables que reconocer nuestra impotencia frente a la manera aleatoria en que parece funcionar el universo. Esa puede ser la razón por la cual no puedes dejar de preguntarte qué habría pasado si hubieras invitado a Daryl a tu casa la tarde del accidente; quizás si él hubiera ido con su perro hasta tu casa y se hubiera quedado contigo un rato en vez de optar por dar una vuelta en el auto con su amigo, no habría habido accidente.

Este tipo de culpa —que se denomina culpa irracional, culpa que no tiene un fundamento lógico pero que sin duda existe y es preciso afrontarla— nos engaña al hacernos creer que si tan sólo hubiéramos "hecho algo", este terrible destino se habría podido evitar.

También existe algo que se denomina "culpa del sobreviviente", un tipo de culpa que se presenta cuando alguien que es importante para nosotros muere inexplicablemente. Nos preguntamos por qué *nosotros* sobrevivimos y *el otro* no, por qué nos salvamos del trágico destino al cual sucumbió nuestro ser querido. La culpa del sobreviviente también es una culpa irracional: no tiene un fundamento sólido; simplemente parece ser uno de los métodos que utilizamos para tratar de explicar el porqué sucedió algo terriblemente inexplicable.

Quiero ser muy claro contigo a este respecto, Amanda. Sé que sientes algo de culpa por la muerte de

Daryl, pero quiero que entiendas que no existe ninguna *razón* por la cual te debas sentir culpable. No fuiste la causa de su deceso, y no tendría ningún sentido o propósito que te hicieras daño o te mataras como respuesta a esta terrible fatalidad.

Es probable que este sentimiento de culpa que experimentas se vaya aliviando. Pero si no es así, quizás podrías tratar de hacer algo que te ayude a aminorar esa culpa. Tal vez podrías ir al lugar en donde ocurrió el accidente y depositar allí una flor o una nota. Tal vez podrías proponer a tus amigos y compañeros de clase que hagan algo en conmemoración de Daryl. Quizás quieras tener un gesto amable con su familia, como visitarlos durante su período de duelo, hornearles un molde de pan o escribirles una carta en la que les recuerdes todas las cosas por las que Daryl era tan especial.

El punto es que, a veces, nos sentimos acosados por una culpa que en realidad no está justificada, y no basta con tratar de convencernos a nosotros mismos de que no debemos tener estos sentimientos culposos. En vez de eso, a veces tenemos que *hacer* algo para quitárnoslos de encima y buscar una manera de convertirlos en algo útil. Cuando la culpa se canaliza de una manera significativa y se demuestra que puede tener un valor y un propósito, por lo general deja de afligirnos innecesariamente y más bien se convierte en una fuente de crecimiento y cambio.

Por último, al final de tu carta escribiste que sucesos como estos "me convencen de que no existe Dios, porque ¿qué clase de Dios permitiría que un excelente chico de diecisiete años como Daryl muriera, cuando tantos otros imbéciles siguen viviendo?" En todas las cartas que nos hemos escrito en este último año, tú y yo no hemos abordado todavía el tema de Dios; supongo que ahora es un buen momento para que lo hagamos, por lo cual me alegro de que hayas incorporado a Dios en nuestra conversación.

Desearía poder decirte que existe una fuerza divina que es completamente amorosa y justa, que protege a todos los que son buenos y castiga a todos los que son malos, pero he visto lo suficiente y he aprendido lo suficiente como para haber dejado de creer en eso hace mucho tiempo. Puedo decirte, sin embargo, que de todos modos creo en Dios. Y sin entrar en detalles sobre mis antecedentes religiosos, puedo decirte que, desde mi punto de vista, aunque Dios no evitó que Daryl muriera, sí puede estar allí para ti, como una fuente de consuelo y fuerza mientras haces el duelo por su desconcertante fallecimiento.

Nadie podrá convencerme de que Daryl murió porque Dios necesitaba castigarlo o castigar a quienes lo querían, o porque Dios "quería" o "necesitaba" que estuviera en el cielo más de lo que tú o su familia lo querían o necesitaban en la tierra. Pero creo que Dios está allí para ti, y para todos sus amigos y su familia, para hacer que el sufrimiento que todos experimentan sea menos solitario, para que el dolor de todos sea menos atemorizante, para que la fe de todos parezca menos vana.

No puedo explicarte adecuadamente por qué murió Daryl. Esa es una tragedia que no tiene respuesta.

Pero puedo explicarte que la realidad de la muerte, sea como llegue, no tiene que definir y limitar nuestra vida o la forma en que la vivimos. Un accidente de tránsito te arrebató el futuro que podrías haber tenido con Daryl, pero no te puede arrebatar todo lo que compartiste con él en el pasado ni las formas en que puedes conservar su espíritu y el tuyo vivos para siempre.

Como dije al comienzo de esta carta, Amanda, se requiere coraje para hacer un duelo. No estarías sintiendo el intenso dolor que sientes en este momento si no hubieras experimentado la intensa cercanía con Daryl que ambos disfrutaban. Pero tu cercanía no murió sólo porque Daryl sí falleció: puede seguir viva de maneras importantes si tú lo permites, si sigues navegando por el río de dolor en el que estás ahora y cultivas en sus orillas el recuerdo, la dignidad y la esperanza que siempre podrás apreciar como tuyos.

Con profunda empatía,
Dr. Sachs

18

¿Estoy
enamorada de verdad?

QUERIDA AMANDA:

DE TODAS LAS PREGUNTAS QUE HEMOS ESTADO explorando a lo largo del último año, la que hiciste en tu última carta —"¿Estoy enamorada de verdad?"— es una
pregunta que todo el mundo debería tener la fortuna
de hacerse en algún momento de la vida. El amor, al
fin y al cabo, expresa el anhelo, el sueño y el deseo que
yacen en lo más profundo de todos nosotros. Es una
fuerza que anima, ilumina, rehace y reaviva nuestras
vidas. Expande los horizontes de nuestros corazones de
maneras en que ningún otro encuentro o experiencia
podrá hacerlo jamás, y cuando ese amor se reconoce, se
siente y se comparte con otra persona, no sólo somos

más plenamente humanos, sino también nos acerca-
mos más a la divinidad.

Desde luego, como el anhelo de amar y de ser
amado es tan profundo, los riesgos que entraña el amor
también se vuelven profundos. Nunca somos tan vulnerables como cuando nos aproximamos al umbral en
donde dos vidas separadas empiezan a comprometerse
una con otra y empiezan a volverse íntimas, cuando
confiamos a otra persona nuestra alma misma y reve-
lamos nuestros pensamientos y sentimientos más privados. El trayecto del amor es siempre un viaje desconocido e imprevisible en el que sin duda navegaremos
en aguas desconcertantes e inestables. *Cualquier* cosa
puede suceder cuando nos embarcamos en este viaje,
y la posibilidad de que nos lastimen y nos hagan sufrir
siempre está penosamente cerca. Así pues, con tantas
cosas en juego, es natural reflexionar cuidadosamente
sobre una nueva relación y tratar de saber si en verdad
encarna el amor.

Como sucede con todas las preguntas más apremiantes y urgentes de la vida, "¿estoy enamorada?" es
algo que sólo tú puedes contestar, nadie más. Hasta
cierto punto, el por qué, el cómo y el de quién nos
enamoramos siempre serán un enigma, y nadie podrá
nunca definir el amor con precisión ni establecer con
certeza si uno está "oficialmente" enamorado. Además,
cuando nos sentimos fuertemente atraídos hacia alguien, por lo general, nos encontramos en un estado
emocional que, a veces, nos impide un juicio objetivo,
por lo cual, nos es difícil ver a la otra persona, a nosotros mismos y la relación con mucha claridad.

Para complicar las cosas aún más, también es muy fácil confundir el amor con otros sentimientos fuertes que pueden relacionarse directa o indirectamente con el amor, pero que en último término son bastante diferentes e incluso pueden interferir con este. En diversos momentos, por ejemplo, confundiremos la atracción sexual con amor, los celos con amor, la necesidad con amor, la intensidad con amor, la posesividad con amor, e inclusive, a veces, el maltrato con amor.

Pero a pesar de la complejidad que entraña el intento de explicar el amor, quizás el hecho de compartir contigo algunas de mis propias reflexiones y experiencias al respecto te ayude a abordar y contestar mejor tu pregunta.

La capacidad de amar —dar y recibir atención, calidez, apoyo, ternura y afecto— es el logro más grande de la vida. Pero desde mi punto de vista, el amor verdadero se entiende mejor, no como algo de lo cual uno posea una determinada cantidad o que sienta hasta cierto punto, sino como los *actos* de amor que realizamos y observamos. Siempre le digo a la gente que la mejor manera de juzgar una relación de amor es observar lo que la pareja *hace*, en vez de lo que siente o dice.

Cuando dos individuos se comportan de una manera que deja en claro que las necesidades y los anhelos de su pareja son tan importantes como los propios, eso es prueba de que hay amor. Cuando dos individuos son francos, honestos y fieles *uno con otro* y, como parte de eso, construyen confianza *mutua*, eso es prueba de que hay amor. Cuando dos individuos hacen que su pareja sonría, eso es prueba de que hay amor. Cuando dos individuos pueden concentrar su atención en sus atributos y su atractivo y tolerar o incluso hacer caso omiso de sus defectos e imperfecciones, eso es prueba de que hay amor. Cuando dos individuos son amables y generosos el uno con el otro y se apoyan mutuamente, eso es prueba de que hay amor.

Cuando dos individuos están en desacuerdo pero perciben sus desacuerdos como una fortaleza y no como una debilidad y buscan maneras de llegar a un compromiso amable y arreglar sus diferencias, eso es prueba de que hay amor. Cuando dos individuos recuerdan que son, de hecho, *individuos* y pueden mantener una relación en la que se respetan y preservan ambas individualidades, eso es prueba de que hay amor. Cuando dos individuos pueden contar el uno con el otro y dependen el uno del otro tanto en las buenas como en las malas, eso es prueba de que hay amor. Cuando dos individuos perciben su relación como una aventura compartida pero aun así se ayudan el uno al otro a alcanzar sus metas personales más preciadas, incluso si no comparten esas mismas metas, eso es prueba de que hay amor. Y cuando dos individuos se *escuchan* el uno al otro —escuchan plenamente, con paciencia, con atención, de la manera en que todos queremos ser escuchados—, eso es prueba de que hay amor.

Otra manera de saber si uno está "realmente" enamorado es ver qué resulta de su experiencia de amor. Si descubres que estás viviendo tu vida de una manera mejor, más rica, más positiva y más productiva, hay una alta probabilidad de que estés enamorada. Si te sientes más motivada a hacer todo lo que tienes que hacer en la escuela y en el hogar, hay una alta probabilidad de que estés enamorada. Si te das cuenta de que estás tratando a los demás de mejor manera y con mayor responsabilidad —no sólo a tu novio sino a tus padres, tus amigos, tus profesores—, hay una alta probabilidad de que estés enamorada. Si te sientes con más energía, más optimismo, más paciencia, más empatía, hay una alta probabilidad de que estés enamorada. Si tienes la sensación de que tu vida tiene un sentido, un propósito y una dirección renovados o mejorados, hay una alta probabilidad de que estés enamorada.

Y desde luego, si compruebas que disfrutas el tiempo que pasas con Dante, que anticipas con ilusión el instante en que lo vas a ver, si compartes con él intereses y pasiones, sueños y dudas, lágrimas y risas, esperanzas y temores, también eso sería un fuerte indicio de que estás enamorada.

Sin embargo, estar enamorada no significa que siempre te vas a *sentir* enamorada. Ni siquiera las mejores relaciones de pareja van a ser gratificantes, estimulantes y maravillosas cada instante del día, y en toda relación sana debe haber espacio para cierto grado de indiferencia, conflicto, incertidumbre, irritabilidad y tedio. Pero siempre y cuando estos sentimientos no predominen —mientras sean la excepción y no la regla—, también ellos se pueden incorporar a la relación en vez de permitir que nos distancien, y se pueden convertir en hilos interesantes en el gran tapiz que los dos están empezando a tejer.

A menudo, cuando alguien se pregunta si está "enamorado de verdad", creo que las preguntas que en realidad se está haciendo (o que debe hacerse) son:"¿va a ser esta relación *buena* para mí?", "¿esta persona que me atrae es la *correcta* para mí?" y "¿esto va a durar?" Aunque infortunadamente no soy clarividente y soy incapaz de adivinar y describir tu futuro en materia de relaciones con absoluta certeza, sí puedo compartir contigo algunas realidades que quizás te ayuden a contestar, con bastante precisión, estas preguntas también.

La mejor manera de intuir la posibilidad del amor es comprobar si dos personas *se caen bien* mutuamente, es decir, cuando han establecido ya una amistad o se dan cuenta de que fácilmente *habrían podido* ser amigos si no se hubieran involucrado románticamente. Cuando existe ese sentimiento de compañerismo cálido y afectuoso, hay potencial para que el amor se arraigue y crezca.

Por otra parte, en cualquier relación que se va desarrollando y profundizando siempre existen señales de alerta. A veces es difícil tenerlas en cuanta cuando estamos en un estado altamente cargado, sintiéndonos ardientemente atraídos hacia otra persona. Pero a pesar del reto que esto significa, convendría que estuvieras alerta porque estas señales te ayudarán a prepararte para el futuro de tu relación y, hasta cierto punto, a inmunizarte contra penas y desengaños innecesarios.

Como mencioné anteriormente, en lo que se refiere a relaciones, por lo general, la manera en que actuamos es mucho más importante que la manera en que nos sentimos. Tratar de cambiar a otra persona y convertirlo a él o ella en alguien que no es, no es un acto de amor. Las mentiras recurrentes o las excusas flojas o confusas sobre en dónde estuviste o qué estabas haciendo no son actos de amor. Acabar con todas las demás relaciones importantes y aferrarse a la pareja, o que la pareja te pida que hagas eso, no son actos de amor.

Sentirte celoso y amenazado por las relaciones de tu pareja con sus amigos y su familia no es un acto de amor. Esperar que tu pareja esté todo el tiempo allí para ti, para que solucione todos tus problemas y siempre te haga sentir mejor, no es un acto de amor. Sentir que necesitas estar embriagado o drogado cuando están juntos no es un acto de amor. Que tu pareja te pida que hagas algo con lo cual no te sientes completamente a gusto para "probar" tu amor no es un acto de amor. Ser herido repetidamente pero que te digan "no quería herirte" o "eres demasiado sensible, ¿no puedes soportar una broma?" no es un acto de amor. El abuso verbal y físico, en *cualquier* circunstancia, no es un acto de amor.

Si ya percibes o comienzas a percibir comportamientos de este estilo en ti misma o en Dante, entonces debes contemplar la posibilidad de que quizás esta relación no se basa tanto en el amor como habías pensado inicialmente, y convendría que empezaras a pensar en maneras de afrontar esto o incluso en poner fin a la relación.

Con respecto a esto, quiero subrayar un aspecto final. Aunque todos tenemos nuestras propias fantasías sobre el "romance perfecto", no creo que exista una única pareja destinada a cada cual, una "media naranja" para cada persona del planeta. No creo que uno "ame sólo una vez" y que si uno estropea un amor o si ese amor no florece y no es correspondido, esté condenado de por vida a carecer de cuidados y amor. Si pensamos esto nos volveremos más temerosos, más indecisos y más inseguros de lo que necesitamos ser y de lo que conviene para establecer una relación sana.

No puedo garantizar que Dante sea siempre el gran amor de tu vida, pero *sí* puedo garantizar que si tu relación con él sigue su curso y en algún momento termina, habrá otras personas con quienes podrás crear una relación amorosa si mantienes la mente y el corazón abiertos. De hecho, por lo general, la suma de nuestras muchas experiencias con el amor —por dolorosas que sean algunas de ellas— es lo que nos ayuda a madurar y gradualmente sienta las bases para la relación amorosa que finalmente termine siendo la más satisfactoria y duradera de todas.

Como dije al comienzo de esta carta, la pregunta que haces demuestra que estás en las puertas del proceso humano más importante que existe. Sólo por eso, independientemente de cómo terminen las cosas, debes sentirte orgullosa. Espero que seas amable contigo misma a medida que se desarrolle tu relación con Dante y que seas capaz de seguir sus giros e imprevistos con alegría, coraje y respeto por ti misma.

Con apoyo,
Dr. Sachs

19

¿Algún día
me sentiré mejor?

QUERIDA AMANDA:

POR FORTUNA, AL MENOS ALGUNAS DE LAS PREGUNTAS que haces tienen una respuesta fácil. De modo que empezaré por contestar sucintamente los interrogantes que me soltaste en tu última carta:

No, no me he dado por vencido contigo.

No, no estoy harto de ti.

No, tu caso no es imposible.

No, no todos mis demás pacientes están progresando más que tú.

No, no me decepcionas por el hecho de que todavía a veces sientas deseos de suicidarte.

No, no deseo que simplemente te esfumes.

Sé que tuviste una semana muy mala, en especial porque las cosas parecían estar marchando mejor en estos últimos tiempos y porque empezabas a sentir que habías dejado atrás para siempre tus épocas más difíciles. Sé que es muy frustrante para ti que tus sentimientos de abatimiento y desesperación se empeñen en regresar y que a veces te sigan apretando la garganta y no parezcan querer soltarte. Sé que te debe exasperar comprobar que sigue habiendo períodos en los que no crees que las cosas algún día vayan a mejorar o a ser gratas.

Pero sólo para que lo sepas, no espero que seas "la paciente perfecta", mejorando día a día sin sufrir recaídas o tomar desvíos. A todos nos gusta visualizar la sanación como si se tratara de una montaña que escalamos sin tregua, dejando para siempre en el fondo nuestras sombras oscuras, defectuosas y difíciles y llegando finalmente a un punto elevado, permanentemente iluminado por una sensación de unidad, paz y satisfacción. Sin embargo, pese a nuestros deseos y fantasías, la sanación, así como la vida en general, es irregular y desigual. Damos dos pasos hacia adelante y uno para atrás, en vez de avanzar irrefrenablemente paso tras paso. Por difícil que resulte nuestro ascenso, siempre tendremos que escalar más.

No es necesario que te disculpes por tus luchas porque, como dije antes, tus luchas son parte de quien eres tú, y la manera en que las percibes y las manejas —no su presencia o su ausencia— es lo que define la persona en la que te estás convirtiendo. Siendo así, desde luego no voy a pensar mal de ti si me entero de que "encallaste" temporalmente, y no voy a perder las esperanzas o la fe en tu capacidad de recuperación y tu habilidad para imponerte sólo porque todavía resbalas de vez en cuando. No *encontramos* nunca nuestro camino sin descubrir repetidamente que *nos extraviamos,* tras lo cual intentamos una y otra vez retomar el curso con decisión.

Tus únicas obligaciones por el momento son tratarte a ti misma con amabilidad, procurar sosegarte y tranquilizarte, observarte y tomar nota atenta de lo que ha estado sucediendo en tu vida que podría estar contribuyendo a que las cosas se tornen tan difíciles y, si así lo decides, seguir en contacto conmigo para que podamos trazar juntos el mapa de tu crecimiento, con su mezcla de picos y valles, desiertos y oasis, llanuras y bosques.

En momentos en que uno se siente tan desdichado como probablemente te estás sintiendo tú ahora es casi imposible creer que estas épocas de desolación pueden ser buenas para ti, que pueden fortalecer tu carácter y convertirte en una mejor persona, más profunda y humana, por lo cual no espero que celebres el hecho de toparte nuevamente con la agonía y la alienación. Pero por favor no olvides que, cuando sobrevivimos a ellas, estas épocas tan difíciles también son siempre épocas de gran aprendizaje e introspección. Aportan lecciones que, por dolorosas que sean, nos permiten tomarnos a nosotros mismos más en serio y ser más receptivos y sensibles, y sintonizarnos mejor con nuestra propia vulnerabilidad y la vulnerabilidad de los demás; son lecciones que nos enseñan sobre la inmortalidad de la pérdida y el amor, que nos adiestran en la gracia y la grandeza del espíritu humano.

Sé que entre otros proyectos artísticos disfrutas moldeando vasijas de barro en el torno. En cierto sentido, podrías tratar de imaginar que estas fases sombrías que todos debemos afrontar de vez en cuando trabajan en nosotros de modo similar a como se trabaja el barro: se ciernen sobre nosotros y nos moldean, a veces con firmeza, a veces dolorosamente, pero finalmente con la meta de volvernos más suaves, más cálidos y más flexibles, con más posibilidades de convertirnos en algo útil y bello a la vez.

Gracias, Amanda, por seguir asumiendo el riesgo de permanecer en contacto conmigo, pese a que no tengas lo que consideres buenas noticias para reportar. Y, según lo veo yo, pese a que fue una mala semana, *sí* me parece una buena noticia tu disposición a reconocer tu dolor y brindarme la oportunidad de ayudar a convencerte de que tu valor no está tanto en cómo te sientes, sino en quién eres.

Con paciencia,
Dr. Sachs

20

¿Por qué no puedo parecerme más a ti?

QUERIDA AMANDA:

EN TU ÚLTIMA CARTA, A LA VEZ QUE ME AGRADECÍAS por ayudarte y brindarte apoyo durante el tiempo en que hemos trabajado juntos, también me dijiste que deseabas parecerte más a mí y te preguntabas por qué no era así. En esta carta de respuesta, quiero abordar ese "deseo" y esa "pregunta".

Ante todo, acepto gustoso tu gratitud y me complace saber que crees que nuestro tiempo juntos y nuestras cartas han sido valiosos. Sin embargo, con toda honestidad sólo me corresponde una pequeña porción de crédito por tu crecimiento, pues eres *tú* quien en realidad está creciendo. Supongo que percibo nuestra relación como la que existe entre un entrenador y un atleta: el entrenador puede tratar de instruir, inspirar y motivar, pero en última instancia, se queda al margen y no interviene mientras el atleta sale a competir en la cancha. De modo que si crees que has cambiado y madurado en este último año (y es claro para mí y también para tu familia y para otras personas con quienes he hablado, como tus profesores, que, sin duda, así ha sido), entonces tienes que seguir estirándote y alargando tu brazo lo suficiente como para darte *a ti misma* un golpecito en la espalda en vez de dármelo a mí.

Además, debes recordar que esta es una calle de doble vía: aunque tal vez tú hayas aprendido mucho de mí, sospecho que yo he aprendido igualmente de ti. Tu honestidad, tu coraje y tu capacidad heroicamente inquebrantable de persistir ante obstáculos e impedimentos sin tirar la toalla me han enseñado muchísimo. Lo mejor de mi trabajo es la oportunidad que me brinda, hora tras hora, de acompañar a muchos individuos extraordinarios en el viaje hasta sus profundidades más luminosas e inexpresables, y *todos* regresamos de nuestra travesía en este dominio invisible un poco más capaces y completos, un poco más pacientes y tolerantes con nosotros mismos y con los demás, y un poco más conscientes y admiradores de nuestras naturalezas preciosamente complejas, nuestras mezclas únicas de luz y de sombra, nuestros dones y nuestros lastres, nuestras fortalezas y debilidades.

Bien puedes agradecerme por estar allí para ti, pero también yo quiero agradecerte por estar allí para *mí*, por invitarme sin temor a luchar contigo en busca

de la completitud y la bondad, para descubrir los sueños, las pasiones, los misterios y los deseos que moran,
ocultos, en el alma y para viajar sin miedo —incluso a
veces con temor— hacia las prometedoras mareas de
la posibilidad.

Con respecto a tu deseo de parecerte más a mí, lo
tomaré como un cumplido, pues proviene de alguien a
quien aprecio y respeto mucho, pero preferiría ponerlo
en un contexto diferente. Creo que la razón por la cual
a veces deseas parecerte más a mí es que de alguna manera cuando estás en mi presencia (incluso si esa presencia es "literaria") en realidad empiezas a convertirte
en *ti misma* y a disfrutarlo. Con base en lo que he aprendido sobre ti en este último año, sospecho firmemente
que la sensación de convertirte en ti misma y disfrutarlo ha sido una ocurrencia un tanto extraña, más extraña
de lo que merece ser, y espero que esto esté cambiando
como resultado del espejo que sostengo frente a ti, un
espejo en el que ahora eres capaz de verte con un reflejo más positivo que el que veías antes.

Así pues, cuando deseas parecerte más a *mí*, lo que
quizás realmente quieres decir es que el reconocimiento y el aprecio de tu verdadero y valioso yo parecen
surgir con más regularidad y confianza cuando estamos
en contacto el uno con el otro. Y el aspecto importante
que debes tener siempre en mente es que eres perfectamente capaz de ser tú misma y de valorarte sin que yo
esté cerca, directa o indirectamente; es tan sólo cuestión
de tratar de absorber e incorporar los sentimientos muy
positivos sobre ti que yo he tratado de compartir contigo, hasta que se conviertan en una parte mejor y más

completa de *tu* naturaleza. A veces, cuando pacientes adultas confiesan que creen estar "enamoradas" de mí, lo que empiezan a darse cuenta es que finalmente están "enamorándose" de sí mismas. Entonces es tan sólo cuestión de seguir enamoradas de sí mismas sin necesidad de que yo esté cerca para jugar a Cupido y disparar mis pequeñas flechas a su corazón.

Con respecto a tu pregunta sobre por qué no te pareces más a mí, estoy seguro de que no te sorprenderá escucharme decir que no es tarea tuya parecerte a mí; tu tarea es ser como eres *tú*. Es muy fácil idealizar a los terapeutas y a otros adultos en quienes confías cuando estás sumida en la agonía de las catástrofes y calamidades que has estado confrontando, e imaginar que de alguna manera ellos han sido vacunados contra adversidades similares en sus propias vidas.

La realidad es que yo, a semejanza de casi cualquier otro adulto que he tenido el privilegio de conocer o tratar, me he sentido tan derrotado, desesperanzado, desmoralizado e inadecuado como te sientes tú a veces. No creas ni por un instante que es posible acercarse a uno mismo, emerger como uno mismo, ser fiel a uno mismo, *vivir* como uno mismo, sin haber estado durante mucho más tiempo de lo que uno quisiera en el peligroso filo del pesimismo y el abatimiento.

Cuando yo era joven, me trató un terapeuta a quien admiraba muchísimo y que durante un tiempo me ayudó bastante. Pero a lo largo de nuestro tratamiento juntos, se esforzó muchísimo por convencerme de que él "lo había logrado", que ya no sufría ni luchaba, que de alguna manera había encontrado respuestas satisfactorias a todas las preguntas apremiantes de la vida y ahora estaba, felizmente, "por encima del bien y del mal" y completamente libre de desesperación y aflicción. Al cabo de un tiempo el tratamiento me empezó a ayudar cada vez menos, pues empecé a sentirme inferior a él. Yo seguía tambaleando y pugnando por salir a flote mientras él me explicaba con tranquilidad y con cierta condescendencia por qué me seguía sintiendo tan perturbado y desgraciado a pesar de sus mejores esfuerzos por ayudarme.

Finalmente (y creo que sabiamente) decidí suspender mi terapia con él, pese a la fuerte insistencia de mi terapeuta de que debía continuar con el tratamiento. Entonces, sucedieron dos cosas interesantes. Primero, tan pronto puse fin al tratamiento empecé a sentirme mejor en vez de peor; creo que estaba sufriendo menos porque sufría menos *en comparación* con él, o por lo menos en comparación con quien yo creía que era él o quien él quería que yo creyera que era él. Eso me lleva a lo segundo: más adelante supe, por casualidad, que la vida personal de mi terapeuta, de la cual nunca había dudado en compartir las partes más brillantes y positivas, estaba afrontando problemas y en verdad era un gran embrollo. No era el individuo exitoso y completamente seguro de sí mismo que aparentaba ser y en el cual yo había decidido creer. Mirando el asunto en retrospectiva, creo que se sentía tan incómodo consigo mismo que había utilizado a algunos de sus pacientes como una referencia tranquilizante contra la cual medirse y sentirse más a gusto.

Comparto esta experiencia contigo para ayudarte a entender que por mucho que me admires en esencia no soy distinto de ti, de modo que en realidad no tienes otra opción que admirarte a ti misma también. Son más las cosas que nos conectan que las que nos separan y no debes imaginar ni por un segundo que a mí me inocularon secretamente con una vacuna mágica que impide que me sienta abatido o que experimente momentos difíciles.

Desde luego, cuento con la ventaja de haber vivido más tiempo que tú y de haber construido lenta y dolorosamente parte de la autoconfianza y el autorrespeto que vienen con darse cuenta de que los golpes de la vida nos pueden aturdir pero rara vez nos aniquilan. Eres libre de imitar esas cualidades y tratar de desarrollarlas si así lo quieres, pero *no* debes disminuirte a ti misma al hacerlo, porque, sin duda, comprobarás que tú puedes, con el paso del tiempo, construir esa misma confianza en ti misma y ese respeto propio, y darte cuenta de que también tú eres una sobreviviente fuerte y capaz.

En todo caso, cada vez que te des cuenta de que me miras con admiración, me gustaría que pensaras más en percibirte a ti misma con admiración. Cuando te descubras deseando ser más como yo, quisiera que desearas ser más como tú. Tal vez yo haya ayudado a guiarte hasta el camino hacia el cambio, pero eres tú quien ha comenzado a recorrerlo a tu maravillosa e inequívoca manera. Es en verdad un honor estar presente a medida que gradualmente vas integrando tu yo adulto en desarrollo.

Con gratitud,
Dr. Sachs

21

¿De quién es, finalmente, este dolor?

QUERIDA AMANDA:

ME COMPLACE EL HECHO DE QUE HAYAS seguido reflexionando sobre tu tendencia a sacrificarte, pero sobre todo me gustó una de las preguntas que se te ocurrieron mientras pensabas en esto. Observaste correctamente que aunque hemos discutido las formas en que te has sacrificado por tus novios, por tu hermano, por tu padre y por la relación de tus padres, en realidad no hemos examinado si te sacrificas por tu madre y cómo lo haces. Yo también he estado reflexionando sobre esto y quería plantearte la siguiente posibilidad.

Tu madre, como bien sabes, básicamente tuvo que terminar de crecer sin su mamá. Ella me contó que tu abuela materna murió cuando tu madre apenas había cumplido los trece años y sus dos hermanos menores tenían diez y ocho años respectivamente. Como a veces sucede en situaciones así, uno de los niños o niñas asume un rol parental, y tu madre se convirtió básicamente en mamá a los trece años, cargando con la responsabilidad de cuidar a tus dos tíos mientras su padre, tu abuelo, seguía trabajando de tiempo completo tratando de ganar el sustento para la familia.

Tu madre sacrificó mucho, se sacrificó a sí misma, durante esos años. Me contó, y quizás a ti también te haya contado, que no podía participar en muchas actividades escolares durante la secundaria o tener vida social debido a los compromisos familiares que le pedían cumplir, y que ella se sentía obligada a hacer.

Y aunque tu abuelo más tarde se volvió a casar, su nueva esposa no tenía muchos deseos de ser madrastra; ella también era viuda; tenía dos hijos propios y no les brindó mucho apoyo o calidez a tu madre y sus hermanos. Probablemente, la vida se le facilitó un poco a tu mamá cuando su padre se volvió a casar, pero parece que la nueva familia que se creó con el matrimonio no era muy acogedora y confortable, y aun hoy sigue sin serlo.

Creo que tu mamá se ha esforzado por aceptar la pérdida de su madre desde el día en que murió. Perder un padre o una madre cuando se es todavía niño, como seguramente te podrás imaginar, causa un dolor y una aflicción que reverberan durante decenios; de hecho, es algo que dura toda la vida.

Ahora bien, una de las cosas que con seguridad sabes que he tratado de comunicarte mediante nuestra correspondencia es el hecho de que el comportamiento humano nunca se desarrolla en un vacío. La manera en que pensamos, sentimos y actuamos es resultado no sólo de lo que está ocurriendo en nuestro interior, sino también de las interacciones que se presentan entre nosotros y nuestros allegados. El quiénes somos y qué hacemos siempre son, por lo menos en parte, una respuesta al quiénes son los otros y qué hacen ellos. En cierto sentido, es como un círculo de retroalimentación muy sensible, en el que cada uno de nosotros hace cosas que propician respuestas en otros, y estas respuestas propician a su vez contrarrespuestas en nosotros, y así sucesivamente.

Esta retroalimentación es particularmente complicada cuando se desarrolla entre miembros de diferentes generaciones en una familia. Por ejemplo, es muy usual en nosotros definir y reconocer las formas en las que nuestra herencia genética influye en muchas de nuestras características físicas. Sabemos que se ha demostrado que ciertos rasgos individuales específicos, como el color del cabello, la estatura, los niveles de colesterol y la predisposición al cáncer, son el resultado de lo que nuestros ancestros nos han transmitido.

Pero es igualmente cierto que nuestra herencia *psicológica* influye en gran medida en nuestras características emocionales y nuestro comportamiento subsiguiente. Esta relación quizás no se revele o se identifique tan fácilmente como la física, pero aun así existe. De cierta forma, esta herencia psicológica es un poco como la gravedad: es algo invisible pero sabemos que es real con base en lo que resulta de ella, como man-

zanas que caen al suelo en vez de salir volando hacia
el cielo, o planetas que giran en órbitas fijas en torno
a estrellas en vez de salir catapultados al azar hacia el
espacio.

¿Y qué tiene todo esto qué ver contigo y tu madre? En tu caso, creo que la herencia psicológica que
tu madre te transmitió cabalga sobre las tremendas olas
de tristeza y vacío que surgieron en su interior después
del fallecimiento de su propia mamá, y que han estado golpeando repetidamente, desde que naciste, en tus
propias orillas. No creo que tu madre haya planeado
pasarte estas olas; es más, pienso que quizás ni siquiera
sepa que lo ha estado haciendo.

Pero los padres siempre esperan hasta cierto punto que sus hijos, la generación siguiente, los compense
por antiguas pérdidas, que sanen sus viejas heridas y
los hagan sentir mejor, más completos y más enteros.
De alguna manera, creo que tu mamá sabía instintivamente que convertirse en madre le ayudaría a soportar
mejor la pérdida de su propia madre. Pero como sus
sentimientos de pérdida quedaron sepultados bajo las
responsabilidades que le cayeron encima siendo tan joven, nunca tuvo la oportunidad de hacer el duelo por
esta pérdida, a semejanza de lo que le ocurrió a tu padre cuando su hermana, tu tía Delia, murió.

Y aquí es donde convenientemente entras tú. Creo
que tú, mediante una combinación de disposición voluntaria y asignación forzosa de este rol, te convertiste
en la "doliente designada" por tu mamá, la que aceptó
tácitamente asumir el papel de verter las lágrimas que
ella nunca pudo derramar.

Cuando estábamos explorando la conexión entre la relación de tu padre con la tía Delia y su relación contigo, te comenté cómo todos los padres están siempre alertas a maneras de identificarse con sus hijos para que estos les sean más familiares, lo cual facilita el compromiso con ellos. De modo similar, como parte de su proceso de maduración los adolescentes a menudo buscan maneras de identificarse con sus padres con el fin de entender a su madre y a su padre, en especial el del mismo sexo que ellos.

Así pues, cuando te preguntas qué podrías haber estado sacrificando por tu mamá, podría ser que has estado dispuesta a asumir el duelo de tu madre, aceptando convertirte en su sobre y contenedor como un obsequio para ella, que necesitaba un poco de ayuda y compañía después de haber manejado su pérdida, en su mayor parte sola, durante tantos años.

Y aunque ha sido muy generoso de tu parte ofrecerle ese obsequio, el problema es que en realidad ya no beneficia a nadie: hace que tu mamá nunca afronte y sane su dolor porque está muy distraída tratando de afrontar tus dificultades, y a ti te impone una carga de duelo que en realidad no te corresponde.

Parte de la gran tristeza con la que has estado luchando estos últimos años sin duda es tuya, y únicamente tuya, pero parte de ella le corresponde sólo a tu mamá, y se desprende de tu profundo sentido del deber con ella y de un deseo igualmente profundo de protegerla, conectarte con ella y entenderla. En cierto sentido, te has vuelto como tu madre, haciendo el duelo por las pérdidas de ella, y como tu abuela, tratando de consolar a tu madre como lo hace un progenitor amoroso, ayudándole a cargar el peso de su aflicción. Con razón a veces te sientes tan abrumada.

Ahora bien, mimar y cuidar un poco a la propia madre es algo correcto y sano. Pero me da la impresión de que tú has estado haciendo *mucho* de eso, demasiado para tu propio bien, e igualmente importante, demasiado para el bien de tu madre. Una cosa que todo adulto joven tiene que aprender es la diferencia entre dar cariño y cuidar de alguien. A menos que alguien sea completamente dependiente de uno, como un bebé o una persona con una limitación seria, es mejor aprender a dar cariño que a cuidar de alguien, porque "cuidar de alguien" siempre nos disminuye a nosotros y también a la persona a quien estamos tratando de cuidar, e impide que ambos maduren.

Creo que te has conectado con los asuntos emocionales de tu madre toda tu vida, ya sea que tú o ella se hayan dado cuenta o no. Pero *tú* no eres *ella* y no eres su madre; ella es *tu* madre. Me pregunto si acaso los roles no se habrán confundido un poco a lo largo de los años y si el hecho de restablecerlos y aclararlos podría ser bueno para todos los implicados.

Amanda, he observado que has estado interviniendo con mucha más frecuencia en nuestras últimas sesiones familiares, y espero que eso sea una señal de que te sientes más a gusto hablando y contribuyendo, y de que le encuentras algo de valor a hacerlo. Con esto en mente, pensé que quizás sería una buena idea que yo programara una reunión sólo contigo y tu mamá para conversar sobre algunos de estos temas. A veces, cuando algunos patrones que no sirven de ayuda se han consolidado desde hace bastante tiempo, es preciso irlos cincelando poco a poco, retirando el material sobrante, para permitir el surgimiento de nuevos y mejores patrones que los reemplacen.

Espero con agrado ver qué nueva escultura podemos cincelar para ti y tu mamá con el fin de que ambas se liberen de una prisión en la cual ninguna de las dos necesita permanecer más tiempo.

Con optimismo,
Dr. Sachs

22

¿Por qué estoy aquí y para dónde voy?

QUERIDA AMANDA:

PUEDO VER POR VARIAS RAZONES QUE ESTA va a ser una de las últimas cartas profundas que te escribiré. Ante todo, has empezado a participar más activamente en nuestras sesiones individuales y familiares, interactuando con mucha más naturalidad con tus padres y conmigo, de modo que ya no hay tanta necesidad de que tú y yo nos escribamos entre consulta y consulta. En segundo lugar, las cosas parecen estar mejorando para ti, no sin unos cuantos pasos laterales y en reversa, pero sin duda con bastantes avances generales.

Finalmente, la pregunta de dos partes que planteaste en tu más reciente carta —"¿Por qué estoy aquí y para dónde voy?"— me hace pensar que estás haciendo lo que necesitas hacer para desprenderte del pasado y que estás sintiendo correctamente que es hora de mirar hacia adelante, hacia tu futuro. Esa es la manera más segura en que sé que una terapia se acerca a su fin y que el paciente está listo para probar sus alas y empezar a volar solo.

Esto no quiere decir que estas dos preguntas sean más fáciles de contestar que algunas de las otras que me has hecho en el último año. De hecho, he descubierto que en último término nos convertimos en las personas que somos, más mediante la formulación de preguntas que por el hecho de poderlas contestar. Pero es difícil vivir sin por lo menos intentar responder estos grandes interrogantes, de modo que a continuación compartiré algunas reflexiones que quizás quieras tener en cuenta cuando vayas en busca de tus propias respuestas.

Aunque muchos quizás te digan otra cosa, yo no creo que tengamos la capacidad de ver claramente el camino que tomarán nuestras vidas. De hecho, nunca he tenido la certeza absoluta de que *exista* un camino: el viaje de nuestra vida se parece más a zarpar hacia un vasto océano, con un número infinito de direcciones y posibilidades y con tan sólo nuestras pasiones y nuestra creatividad, nuestra imaginación y nuestra intuición para guiarnos.

A veces, nos encontraremos navegando con calma y sin esfuerzo, como si siguiéramos un mapa claro y confiable, progresando de manera estable hacia nuestro destino deseado. Otras veces el mapa parecerá haberse evaporado misteriosamente, y nos sentiremos perdidos y a la deriva, observando con ansiedad las estrellas y el horizonte en busca de cualquier vestigio de orientación para la navegación.

Finalmente, sin embargo, aunque no debes contar con que te den una guía que trace un mapa claro del destino de tu vida, *sí puedes* confiar en que si te esfuerzas arduamente por estar siempre atenta a quien tú eres, tu viaje siempre estará iluminado y te llevará a muchos de los lugares con los que siempre has soñado y también a otros imprevistos con los que jamás soñaste, pero que aun así te aguardan con importantes y maravillosas posibilidades.

Ese es el drama esencial de nuestra inmersión en las extensas e imprevisibles aguas de la vida, para hallar un camino que nos permita convertirnos plenamente en nosotros mismos, sernos fieles, habitarnos y descubrir cómo defender nuestra propia naturaleza distintiva al tiempo que participamos, compartimos y pertenecemos al mundo.

Sin embargo, como seguramente tú ya has empezado a darte cuenta, tanto al observar tu propia vida como las vidas de quienes te rodean, este drama no siempre se desarrolla con júbilo y recompensas. Muchos individuos, pese a realizar sus mejores y más consagrados esfuerzos, terminan viviendo como distanciados de su propio ser, exiliados de su propia presencia, incumpliendo una y otra vez las promesas que ellos mismos se hacen, rehenes de las expectativas de otros, con sus deseos más ocultos debajo de capas ruinosas de obligación, obediencia y monotonía. Los caminos que conducen a la realización y la dicha pueden ser difíciles y traicioneros, con numerosas curvas y obstáculos que amenazan con desviarnos de nuestro curso.

Mantener nuestra integridad y seguir siendo fieles a nosotros mismos bajo las intensas presiones para competir y adaptarnos a todo lo que somos susceptibles, puede ser muy difícil y agotador. No sorprende, entonces, el hecho de que muchas personas terminen viviendo sus vidas ocultándose, eludiendo las posibilidades de su propio potencial, terminando completamente separados de quienes son y de quienes podrían ser, sin saber cómo reavivar las cenizas de sus más preciados sueños, ambiciones, anhelos y deseos, y abanicarlas hasta sacarles cálidas llamas de nuevo.

Así pues, ¿cómo hace uno para habitar su ser más profundo y seguir viajando hacia su verdadero y exclusivo norte? La solución (y sobra decir que es más fácil decirlo que hacerlo) es permitirse estar lo suficientemente quieto, silencioso y atento como para que nuestra música más tenue, poco a poco, se vuelva audible, para que nuestra voz más profunda se pueda empezar a escuchar, para poder establecer una conversación íntima con las partes más esenciales y eternas de uno mismo, porque es sólo como resultado de esa conversación que podremos vivir la vida con significado y propósito.

La razón por la cual esto es más fácil de decir que de hacer es que nuestra cultura moderna invita, apoya y honra este importante diálogo cada vez menos, en la medida en que nos enamoramos más y más de otros asuntos menos sustanciales y perdurables que poco tienen qué ver con vivir desde el alma. El campo de fuerza en el que todos residimos —ese que insiste en que *somos* lo que *tenemos*, en que más y más rápido es mejor que menos y más lento, en que la gratificación externa es más importante que la riqueza interna, la decencia y la dignidad— plantea un tremendo reto para el descubrimiento de nuestros verdaderos colores, nuestras verdaderas pasiones y nuestros verdaderos poderes.

Pero sin importar en dónde y cuándo existas, la melodía de tu alma siempre se estará entonando, incluso si a veces lo hace en débiles susurros, y tu tarea consiste en acallar lo más posible el ruido del mundo exterior para poder prestar atención a eso que canta, radiante, en tu interior. Cuando lo hagas, descubrirás con el tiempo que así es como tus más grandes hallazgos, logros, sorpresas y triunfos brillarán.

El poeta Rainer Maria Rilke escribió en una ocasión sobre tener "fe en la noche", y creo que lo que quiso decir era que poseía una fe perdurable en lo más oscuro, que no tenemos que evitar con temor o iluminar frenéticamente nuestras "noches" más oscuras, sino más bien que podemos permitir que nos impregnen suavemente para que podamos aprender a ver en la oscuridad y descifrar la belleza y la promesa que tranquila y confiadamente allí residen.

Desde luego, es un riesgo mucho más grande recorrer el territorio de la oscuridad en vez del de la luz, precisamente porque su geografía es mucho menos visible, segura y previsible; es por ello que muy pocas personas lo hacen con regularidad. Pero *sólo* si lo haces se te revelarán tus caminos más interesantes y auténticos, y lo más seguro es que puedas afrontar exitosamente las preguntas que planteaste tan audazmente.

En varias ocasiones te has quejado de que te sientes como si fueras "extraña", "rara" y "loca", y sentirse así suele ser muy difícil. Cuando somos distintos y separados, de la manera que sea, nos sentimos solos y vulnerables, distanciados de los demás y como abandonados. Sin embargo, en mi opinión, sentirse "extraño" es una experiencia absolutamente crucial para despertarse a uno mismo y forjar una vida singular y original. Reconocer y mantener algo de "rareza", alguna excentricidad o individualidad, te garantiza que no has sucumbido por completo a todas las grandes influencias que interfieren con la permanente tarea de llegar a conocerse a uno mismo. En vez de sentirte apenada y avergonzada por lo diferente que te sientes de los demás, podrías tratar de celebrar esa diferencia, verla como una brújula que te permitirá alejarte de los peligros de un conformismo servil, y que no dejará que tus bordes más resistentes y brillantes sean limados monótonamente.

Tu espíritu creativo, Amanda, que se expresa de tantas maneras, por ejemplo, a través de tus proyectos artísticos y tu escritura, será el más poderoso aliado que te sostendrá en este viaje a través de paisajes desconocidos (y a veces imposibles de conocer). La manera más segura de integrar nuestro sentimiento de ser extraños y acoger nuestras partes raras o descuidadas es permitir que nuestra imaginación nos guíe, porque nuestra imaginación valora, aprecia y depende de esa rareza. Para bien o para mal, y en distintos momentos de tu vida parecerá más lo uno que lo otro, la creatividad te llamará insistentemente, a veces hacia una vida que estará llena de aventura, vitalidad y grandeza, a veces hacia una vida caracterizada por peligros, vulnerabilidad y rechazo. No puedes vivir una vida creativa sin riesgo, en la que nunca experimentes sentimientos de falta de sentido, rechazo, fracaso e inestabilidad.

Pero de una u otra manera, tu creatividad es uno de tus más grandes dones. Podrás evadirla (¡a veces *querrás* hacerlo!), pero nunca podrás ocultártele del todo. Siempre te llamará para que regreses a tu submundo personal, a esos dominios internos en donde viven la fantasía, los sueños y el asombro, y siempre te recordará que nada importante te estará nunca completamente vedado.

Y aunque no puedes vivir una vida creativa sin correr el riesgo de fracasar, los riesgos de vivir sin creatividad son mucho más profundos y nocivos. Te condenas a ser un recluso en la prisión de tu propio mundo inexplorado, cargando siempre en el futuro el peso inestimable del arrepentimiento y tratando de perdonarte por ese cruel crimen contra tu propia humanidad.

Queda un tema de reflexión adicional. Sabes que un tema importante que hemos estado explorando todo el tiempo y que hemos trabajado juntos es tu marcada tendencia al autosacrificio. Creo firmemente que nuestros logros más importantes son aquellos que no sólo sentimos que son correctos para nosotros sino que también representan una diferencia en el mundo, esos logros que no sólo posibilitan *vivir* la vida sino que también *dan* vida. Conociéndote, no me sorprendería si estuvieras pensando que las maneras en que te estoy invitando a resolver los interrogantes sobre por qué estás aquí y para dónde vas —sumergirte lo más hondo que puedas en tus propias profundidades invisibles y sagradas— te llevarán a una vida de aislamiento y egoísmo. Pero descubrirás que una peregrinación de este tipo dará una cosecha que podrá alimentar no sólo tu alma, sino el alma de todo nuestro planeta. Quizás suene paradójico, pero es cuando estamos más íntimamente conectados con nosotros mismos —cuando estamos *siendo*, tanto como *haciendo*— que nos conectamos más íntimamente con otros.

Es imposible ver a los demás con más sensibilidad y compasión de las que profesamos por nosotros mismos. Teniendo esto en cuenta, Thomas à Kempis escribió: "Primero mantén la paz en tu interior, y luego también podrás llevar la paz a otros". Los individuos más desinteresados de la civilización no se volvieron así abandonándose y sacrificándose, sino explorando intrépidamente cada resquicio de su ser y trayendo la abundancia que encontraron de vuelta de sus profundidades, para poder enriquecer las vidas de todos nosotros. Finalmente, descubrirás que no es lo que tengas y lo que hagas, sino quién eres y cómo amas, lo que te proporcionará una vida real y significativa.

Amanda, has madurado y cambiado de maneras indudablemente maravillosas durante este tiempo que hemos compartido, y para mí ha sido un verdadero honor ser testigo de tu extraordinaria transformación. Quiero que sepas y que creas que vas a seguir madurando y cambiando en los próximos años, a veces de maneras esperadas y otras de formas inesperadas, y que en cada etapa de crecimiento, sin duda, desarrollarás un sentido más profundo y sólido sobre quién eres tú y en quién estás destinada a convertirte.

Pero nunca serás un producto terminado —somos siempre obras en progreso (aunque a veces hay más "trabajo" que "progreso") y siempre tenemos que evolucionar en alguna medida—, y eso es lo que nos mantiene vitales y humanos, siempre briosos y dinámicos frente a las oportunidades.

Sé por nuestros diálogos verbales y escritos que ya has comenzado a entender sabiamente que en el mundo hay más preguntas que respuestas. Espero que sigas haciéndote siempre el mismo tipo de preguntas que has venido formulando a lo largo de los años, y espero que también luches siempre con ellas y permitas que te cuestionen, porque así es como sabrás que sigues creciendo. Nada que en verdad vale la pena saber puede ser enseñado. En último término, las preguntas más importantes tendrán que ser *vividas* en vez de contestadas, pero al vivir estas preguntas nos abrimos a lo más esencial, lo más valioso y lo más infinito.

Esperaré con agrado ver a dónde te conduce tu viaje y espero tener la oportunidad, de vez en cuando, de seguir echando un vistazo a los nuevos y emocionantes capítulos de tu vida que, sin duda, tu indomable espíritu escribirá.

Con afecto y mucho respeto,
Dr. Sachs

Epílogo

Cuando compartes tus penas,
las reduces a la mitad.

—PROVERBIO COREANO

MI FUNCIÓN PRINCIPAL COMO CLÍNICO, según la percibo, es volverme obsoleto e irrelevante, dar la orientación, la perspectiva y el apoyo necesarios para que mis pacientes puedan reanudar un progreso sano y vigoroso ellos mismos, sin que me necesiten como catalizador, como la chispa que enciende la renovación y el rejuvenecimiento.

No creo que los tratamientos psicológicos deban ser un proceso interminable, y pienso que existen *muchas* formas en que las personas —niños y adultos— pueden entender su sufrimiento, resolver sus conflictos, sanar su dolor y seguir embarcados en el difícil pero necesario trabajo de crecimiento que no implica estar en terapia.

Como dejan ver las últimas cartas, Amanda poco a poco fue confiando cada vez más en el proceso terapéutico y se fue mostrando más dispuesta a participar en nuestras sesiones, de modo que nuestra correspondencia fue dejando de ser necesaria y finalmente se detuvo; además de tenerme a mí, ella tenía a otras personas más importantes con quiénes tender puentes. Y a medida que Amanda y su familia fueron saliendo poco a poco de las arenas movedizas en las que se encontraban atascadas, las consultas se fueron espaciando cada vez más.

Esto no significa que esta joven, dotada de una buena capacidad de recuperación, haya tenido una adolescencia eufórica, sin problemas ni confusiones de ahí en adelante. Finalmente, durante su último año de escuela, establecimos una rutina de sesiones rotatorias en la que me reunía con Amanda y sus padres una vez al mes y con Amanda sola también una vez al mes. Durante estas sesiones por lo general había algo importante que era preciso destacar y abordar.

Amanda siguió dependiendo de la marihuana y el alcohol más de lo que yo hubiera deseado, un tema que tratamos con regularidad. Finalmente, terminó su noviazgo con Dante por decisión propia, pero sólo después de haber tenido relaciones sexuales con él (y probablemente debido a eso). Después tuvo un período, en sus últimos meses de secundaria, en el que se dejó manipular sexualmente por varios jóvenes diferentes.

Esa fue una de las razones por las que, a lo largo de nuestro trabajo conjunto, me esforcé por restaurar y reconstruir parte de la cercanía que ella y su padre solían disfrutar, porque especulé que Amanda estaba recurriendo a sus pares masculinos para compensar aquello que había disminuido entre ella y su papá. Sin embargo, conviene anotar que, pese a su actividad sexual, Amanda sí hizo acopio de suficiente respeto por sí misma como para tomar siempre las precauciones necesarias para evitar embarazos no deseados o enfermedades de transmisión sexual, y que los chicos con quienes se involucró en serie eran, en su mayor parte, jóvenes bastante sanos y confiables.

Pero en términos generales, el progreso que logramos al volver a fomentar el desalentador equilibrio en que se habían arraigado ella y su familia cuando acudieron a mi consulta por primera vez tuvo excelentes recompensas. Cuando los fantasmas no llorados del doloroso pasado de sus padres —específicamente los decesos de la hermana del padre de Amanda y de la madre de la mamá de Amanda, así como las pérdidas anteriores al nacimiento de su hermano mayor— emergieron a la superficie y fueron exorcizados, se les pudo hacer un duelo más completo y se pudieron integrar, con lo cual perdieron el poder de destrozar y poner en peligro el futuro de Amanda y los suyos.

Los padres de Amanda se reunieron conmigo como pareja en unas doce sesiones, su matrimonio mejoró tangiblemente y decidieron conmemorar su vigésimo quinto aniversario renovando sus votos; Amanda contribuyó a la ceremonia con un hermoso poema. A mi modo de ver, el poema fue una declaración literaria de independencia en la que pudo afirmar su emancipación de la misión que se había impuesto de salvar

el matrimonio de sus padres, porque ellos claramente
habían asumido la tarea de salvarlo ellos mismos.

Craig se marchó para estudiar en la universidad,
pero su primer año fue bastante complicado; asistió a
demasiadas fiestas, perdió demasiadas clases, le impu-
sieron matrícula académica condicional y finalmente
regresó a casa al finalizar el primer semestre del segundo año. Fue una prueba difícil para la familia, pero sin
duda ayudó a que Amanda renunciara a su papel como
chivo expiatorio de su familia, siempre auto sacrificándose. También significó que Craig tuvo la oportunidad
de disminuir el grado en el que él se había estado sacrificando *a sí mismo*, en su caso un sacrificio que llevaba
haciendo desde hace mucho en el altar de la pureza y
la perfección. Teniendo esto en mente, programé algunas sesiones de familia productivas con los cuatro,
con miras a tratar de fortalecer la nueva y más flexible
homeostasis que estaban desarrollando.

Y cuando Amanda finalmente se pudo liberar
de tanto autosacrificio, descubrió que tenía suficiente
energía a su disposición para lanzarse en pos de actividades y ambiciones más aptas para su crecimiento y
maduración. La nombraron directora de la revista literaria de su escuela, empezó a tomar clases de fotografía
en un instituto de arte local, se empleó a fondo en su
trabajo académico y empezó a contemplar la posibilidad de ingresar a la universidad, obtuvo su licencia de
conducción y consiguió empleo como recepcionista
en un restaurante local, con lo cual se demostró a sí
misma y también a sus padres su naciente independencia. También empezó a traer muestras de su trabajo

artístico y su escritura creativa a nuestras sesiones, para explorarlas y analizarlas juntos.

Como es apenas lógico, a medida que empezó a percibir que podría haber razones válidas para enfocarse en la vida en vez de en la muerte, no hubo nuevos intentos de suicidio, hospitalizaciones o actos de automutilación.

En la primavera de su último año de secundaria, a Amanda la aceptaron en una de las universidades a las que había solicitado ingreso, y por esa época terminamos "formalmente" nuestra relación terapéutica con un par de sesiones de despedida. Sin embargo, cuando inició sus estudios universitarios me mantuve en contacto con ella por correo electrónico y correspondencia y, cuando se le presentaron conflictos, la alenté a que consultara con un clínico en el centro de consejería de la universidad, cosa que ella aceptó hacer y que le fue muy útil. Mientras tanto, también me reuní en varias ocasiones con su hermano y sus padres, para tratar algunas dificultades relacionadas con la edad por la que estaba atravesando Craig.

Amanda obtuvo un título con énfasis en arte, consiguió un empleo como fotógrafa y artista gráfica en una agencia de publicidad, y se mudó a un apartamento con el novio que tenía desde hacía dos años. Su relación con sus padres mejoró considerablemente cuando se marchó de la casa, y siguió atenta al devenir de ellos y de su hermano, pero sin resucitar muchas de sus tendencias mesiánicas. También se metió de voluntaria como Hermana Mayor, y finalmente dejó la marihuana y el alcohol.

Como dato interesante, pasado poco más de un año en la agencia de publicidad, Amanda me llamó para contarme que había decidido hacer una maestría en trabajo social clínico. Esto me recordó un comentario sabio que alguna vez le escuché a un supervisor mío, quien dijo que una persona saludable es alguien que puede convertir su preocupación en su ocupación. Amanda, quien a mi modo de ver llevaba mucho tiempo preocupándose por cuidar a otros mediante el auto sacrificio, había encontrado brillantemente una manera de *ganarse la vida* cuidando de los demás, sin perder su propia vida en el proceso.

Puesto que ella recorrió el arduo camino de paciente a sanadora, estoy seguro de que *sus* pacientes serán los afortunados beneficiarios de su coraje, su empatía y su sabiduría.

Grábate esto en el corazón:
no hay nadie a quien no puedas amar
una vez hayas escuchado su historia.

—MARY LOU LOWNACKI

Nota para los adolescentes

COMO SEGURAMENTE YA LO SABES, LA ADOLESCENCIA es una época de cambios profundos e irreversibles. Es como si te estuvieran quitando a la brava ese "yo" que eras y te estuvieras convirtiendo súbitamente en un extraño, no sólo para tus allegados sino también para ti mismo. Aunque hay algunas cosas tuyas que seguirán esencialmente iguales durante esta transformación, muchas de las formas en que antes te identificabas durante la niñez empezarán a evaporarse, para ser reemplazadas por nuevos y diferentes pensamientos y sentimientos, inquietudes y dilemas, atributos y cualidades, muchos de los cuales no entenderás al comienzo. Si bien todo esto finalmente se convertirá en parte de ti y acabará siendo muy valioso, el proceso hará que, durante un período agónicamente largo, te sientas alienado e incómodo: desordenado y desorganizado, desequilibrado e irreconocible.

Como le expliqué a Amanda, la adolescencia es una época dolorosa en gran parte porque representa una muerte: la muerte de la niñez, con todas sus esperanzas e ilusiones. Cuando se nos muere un ser querido, nuestra tarea consiste tanto en aferrarnos como en soltar. Debemos aferrarnos a lo que amábamos de esa persona para que su recuerdo siempre nos consuele e inspire, pero al mismo tiempo debemos soltar lo suficiente como para poder avanzar con el resto de nuestra vida sin cargar el lastre de la persona a quien perdimos. El proceso de maniobrar a través de la adolescencia es, en últimas, muy similar: debemos retener esas partes nuestras y de nuestras familias que merecen ser respetadas, apreciadas y preservadas, pero al mismo tiempo tenemos que soltar esas partes que ya nos quedan chicas, para poder proseguir con el delicado proceso de convertirnos en una nueva persona, independiente y única.

Este proceso es necesariamente turbulento, pero la turbulencia tiene un propósito subyacente y oportuno: saca la iniciativa, el coraje, la energía y los recursos requeridos para marcar y dar exitosamente el importante paso a la adultez joven. Debido a esto, me suelen preocupar más los adolescentes que *no* experimentan esta turbulencia que los que sí la sienten, porque eso me hace pensar que no están haciendo el trabajo psicológico que los preparará y embarcará en este viaje. Casi siempre, la angustia sobre la cual me cuentan mis pacientes, por muy real que sea, en realidad no se debe a qué tienen de *malo*, sino más bien a qué tienen de *bueno*.

En cierto sentido, se asemeja un poco a la varicela. Cuando los niños pequeños se contagian de varicela, se trata de una enfermedad molesta pero finalmente inocua que tiene el beneficio de inocularlos contra volver a enfermar de varicela durante el resto de sus vidas. Pero si a uno no le da varicela de niño, corre el riesgo de sucumbir a ella de adulto, y la varicela en un adulto *no* es inocua; en esa etapa de la vida se convierte en una enfermedad seria, potencialmente fatal. En otras palabras, existen algunas ventajas cuando se experimentan ciertas condiciones en ciertas "estaciones" de nuestras vidas, en momentos en que estamos mejor equipados para manejarlas.

Como mencioné en el prólogo, a lo mejor no has tenido que afrontar todos o incluso algunos de los retos y dificultades específicos que Amanda encontró, y tu comportamiento tal vez no sea, se vuelva o haya sido tan preocupante y problemático como el de ella. Pero aun así es imposible navegar desde las orillas de una niñez dependiente hasta las orillas de la adultez independiente sin enfrentar algunos obstáculos en el camino, y espero que mucho de lo que le ofrecí a Amanda también sea pertinente y significativo para ti, al emprender el viaje por estas vastas y peligrosas aguas.

Desde luego, existen muchas otras maneras de encontrar fuerza, esperanza y orientación además de leer este libro. Es supremamente importante cerciorarte de tener personas confiables con quienes conversar y, por lo general, lo mejor es que tu grupo de apoyo personal incluya una combinación de amigos y adultos en quienes confíes. Tampoco tiene que ser una multitud: por lo general basta con tener uno o dos amigos cercanos y uno o dos adultos sólidos.

También hay profesionales a quienes siempre podrás recurrir en busca de ayuda. Ya sea una profesora especial o un entrenador, tu consejero de orientación o tu médico de familia, un miembro del clero o un terapeuta, no dudes nunca llamar a alguien que tenga la habilidad de ayudarles a los adolescentes a entender la desorientación que inevitablemente afrontan.

Probablemente, ya conoces muchas actividades que promueven el crecimiento emocional y reducen el estrés que vale la pena practicar: el ejercicio, la oración, la meditación, la expresión creativa, la comunicación con la naturaleza, la adopción de buenos hábitos alimenticios y de descanso y otras actividades similares nos ayudan a mantenernos a flote en corrientes turbulentas.

En estas páginas has visto que gran parte de mi trabajo con Amanda, y muchas de las cartas que le escribí, se concentraron en el papel que desempeñaba en su familia, y la influencia que esta ejercía en ella. Es importante que recuerdes durante esta etapa de la vida que la adolescencia no es algo que te ocurre únicamente a ti, el adolescente, sino también a todo tu mundo social, cuyo componente más importante es tu familia. Por eso dediqué una parte tan grande de mi tiempo clínico "cara a cara" con Amanda y su familia juntos, como suelo hacer con casi todos los adolescentes con quienes trabajo.

Teniendo esto en cuenta, siempre es útil que observes tu propia relación con tu familia, para ver si puedes determinar las muchas maneras en que tú los afectas y ellos te afectan a ti. En vez de simplemente culparte a ti mismo o culpar a tus padres o tus hermanos por comportase de la forma en que todos lo hacen, trata de buscar los "círculos de retroalimentación" que siempre existen. Si crees que tus padres son sobreprotectores, por ejemplo, piensa en qué podrías estar haciendo tú que parece provocar su sentido de protección, o simplemente pregúntales qué podrías hacer para ayudarles a sentirse más confiados y ser menos entrometidos. Invítalos a compartir contigo la razón de su nivel de sobreprotección y los recuerdos de su propia adolescencia que quizás expliquen su actual estilo de ser padres.

A veces, se requiere un observador externo, como un terapeuta de familia, para entender ciertos patrones interpersonales y ayudar a cambiarlos cuando no son muy sanos, pero muchas veces podemos hacer esto nosotros mismos, simplemente observando y escuchando atentamente.

Por último, trata de recordar que no importa qué tanto te esfuerces, no importa qué tan bueno trates de ser, no importa qué tan inteligente seas y cu~ concientización y percepción cultives, sim~ no podrás vivir una vida de realización v experimentar dolor. El sufrimiento s~ su lugar en nuestras vidas, y cua~ y lo toleremos, y cuanto má~ él, menos codicioso y egoísta ~ cio necesitará habitar.

Recuerdo, cuando era adolescente y había obtenido por primera vez mi licencia de conducir, que mi madre solía prestarme su gran Oldsmobile de color marrón para ir hasta la ciudad en donde tenía un trabajo de medio tiempo. Tenía que tomar la autopista para llegar al centro, y me parecía que siempre terminaba en el carril que tenía más huecos y que me quedaba atrapado allí porque el tráfico casi siempre era demasiado veloz como para que un conductor sin experiencia como yo cambiara fácilmente de carril.

Así pues, maldiciendo y sudando, caía en hueco tras hueco, kilómetro tras kilómetro, y cada vez que el Oldsmobile se golpeaba y se estremecía violentamente yo pensaba que estaba destruyendo el auto de mi madre, que en cualquier momento quedaría hecho una pila de metal en medio de la autopista, dejándome varado y suscitando la ira de mis padres.

"¿Por qué no puedo acordarme de usar los carriles que no tienen tantos huecos?", me preguntaba furioso, cada vez que hacía el mismo recorrido frustrante. "¿Acaso *siempre* voy a cometer el mismo error, una y otra vez?" Sólo después de haber hecho ese recorrido durante varios meses me di cuenta de que *todos* los carriles de la autopista tenían huecos. Lo que quiero decir con esto, como seguramente ya has entendido, es que todos los carriles de la vida tienen sus propios baches y que no hay forma de escapar o de evitarlos si lo que uno quiere es ir a alguna parte.

Alguna vez leí que es mejor sufrir y ser sabio que tirse tranquilo y ser un tonto. Espero que las car- ue le escribí a Amanda te ayuden a entender tu sufrimiento, a ser más sabio, a tolerar tus defectos e imperfecciones y a navegar sin percances por la impresionante y apasionante etapa que estás atravesando en este momento.

Sólo lo incomprensible arroja alguna luz.

—SAUL BELLOW

Nota para los padres

Nada mejor para poner a prueba el temple emocional de un padre o una madre que criar a un adolescente. La adolescencia siempre entraña una profunda perturbación, en la que los chicos y chicas ponen en entredicho, durante un tiempo prolongado y doloroso, los cimientos cuidadosamente construidos de la familia, mientras pugnan por encontrar una manera de convertirse en su propia persona sin perder su sentido de pertenencia. Mientras tanto, es como si giraran en una órbita por el lado oscuro de la luna, en la que es imposible aconsejarlos o comunicarse efectivamente con ellos, al tiempo que se niegan a dar algún indicio concreto y convincente de que alguna vez van a regresar. Y las épocas en las que en realidad más nos necesitan son justamente los momentos en que es menos grato estar con ellos, porque sienten mucha vergüenza y pesadumbre por su gran necesidad y manejan su desilusión consigo mismos sacando espinas y volviéndose beligerantes.

En mi libro anterior, *The Good Enough Teen: Raising Adolescents with Love and Acceptance (Despite How Impossible They Can Be)* [El adolescente suficientemente bueno: criar adolescentes con amor y aceptación (a pesar de lo imposibles que pueden ser)], describo en detalle las muchas maneras en que esta etapa de la vida constituye esencialmente un *tsunami* psicológico que saca dramáticamente a toda la familia del confort de lo que hasta ese momento había sido confiable y sólido, y la deposita en un nuevo hábitat, desconocido y no anticipado.

Aunque un resumen integral de esta complicada conversión se sale del propósito de esta sección, los padres que lean este libro tal vez se beneficien si resalto unos pocos aspectos importantes.

Un proverbio *yiddish* dice irónicamente que "los niños pequeños producen dolor de cabeza, pero los niños grandes producen dolor en el corazón". Nada hace sentir más impotentes a los padres que ver a su hijo o hija adolescente encallar, sobre todo cuando las consecuencias de los errores cometidos en esta etapa de la vida podrían ser graves e irreversibles.

Pero es importante recordar que el lente con que escogemos ver a nuestros hijos determina en gran medida qué vemos, cómo los tratamos y en quiénes terminan convirtiéndose. Cuando los padres de Amanda se reunieron por primera vez conmigo, se sentían completamente desmoralizados; pese a haber consultado con muchos clínicos bien intencionados a lo largo de los años, finalmente habían concluido que su hija tenía una falla psicológica y era una víctima inerme de defectos emocionales y neuroquímicos innatos que, en el mejor de los casos, se podrían lidiar, pero nunca solucionar del todo. Como resultado, habían optado, de manera entendible, por segregarse y aislarse de cualquier impacto real o responsabilidad por el bienestar de su hija.

Sin embargo, como le expliqué a Amanda en varias de mis cartas, nuestro comportamiento nunca se da en un vacío, sino que siempre está influido y provocado por quienes nos rodean. Estaba convencido de que los problemas de Amanda no hundían sus raíces en ella, sino en el sistema en el que estaba creciendo.

Esto no quiere decir que los padres de Amanda fueran culpables de sus dificultades; a mi juicio, la culpa no cabe en las terapias de familia. Pero era importante que todos los miembros de la familia entendieran que, aunque nadie tenía la *culpa*, todos eran *responsables* de sus contribuciones al proceso familiar del cual los actos autodestructivos y perturbadores de Amanda eran tan sólo un síntoma.

Cuando hacía mi posgrado, uno de mis profesores planteó que cualquier intento suicida de un adolescente tiene su génesis arraigada en por lo menos tres generaciones, y esa hipótesis parece bien sustentada por Amanda y su familia. Las múltiples capas de dolor y pérdida que se fueron depositando mucho antes de que Amanda siquiera hubiera nacido se convirtieron en los cimientos de sus propios sentimientos de dolor y pérdida; ella captó intuitivamente el sufrimiento de sus padres y quiso estar a la altura de la ocasión, intentando sin éxito, sin saber cómo ni por qué, aliviarlo.

En *The Good Enough Teen*, planteé que los problemas de comportamiento que exhiben los adolescentes desempeñan una función equivalente a la de los canarios en el socavón de una mina: indican cuándo se están filtrando gases (emocionales) tóxicos que es preciso tratar y neutralizar antes de que produzcan nuevos daños. Mientras trabajaba con Amanda y sus padres, cada vez se fue haciendo más evidente que ella estaba tratando, torpe e incluso peligrosamente, de alertar a sus padres sobre un asunto viejo y doloroso que era preciso atender si querían evitar más daños emocionales y poder avanzar nuevamente en sus vidas. Aunque era tentador percibir sus esfuerzos como indicios de una psicopatología imposible de erradicar, tentación a la que al parecer habían cedido sus anteriores clínicos, creo que ese enfoque habría sido completamente equivocado.

El problema no yacía en Amanda sino en las misiones de autosacrificio que ella había asumido —soportar los viejos dolores de sus padres por ellos, desempeñar el papel de chivo expiatorio para proteger a su hermano y sustentar su entronización, y tratar de salvar el matrimonio de sus papás—, algo que sencillamente resultaba abrumador e imposible de lograr. Creo que ella no se sentía tan *de*primida como *o*primida, asfixiada por los deberes familiares a los que se estaba sometiendo al tiempo que tenía que realizar el exigente trabajo de separar hábilmente su yo independiente del cuerpo de su familia. En mi opinión, esa era la razón principal por la que había empezado a fumar marihuana con regularidad: drogarse era la única manera que había encontrado de deshacerse, así fuera temporalmente, del pesado lastre que le representaban esos objetivos inalcanzables.

Es esencial que los padres encuentren maneras de ver los problemas de sus hijos como intentos de *solucionar* un problema. Con ello no sólo se vuelven capaces de ser más empáticos y comprensivos, sino que luego también pueden ayudarles a sus hijos a encontrar una solución mejor y más adaptable al problema que han estado tratando de solucionar (a veces sin proponérselo).

Cuando los padres de Amanda empezaron a darse cuenta de que el comportamiento problemático de su hija se derivaba de su intento por abordar los problemas no resueltos incrustados en la historia de su familia, pudieron empezar a afrontar y solucionar estos problemas ellos mismos. Este cambio de perspectiva modificó automáticamente, de maneras positivas, la forma en que percibían a Amanda, lo cual a su vez cambió, automáticamente y de maneras positivas, la forma en que ella se percibía a sí misma. Así pues, en la medida en que les ayudé a ver *a través* de ella, pudieron ayudarle mejor.

A este respecto, durante el tratamiento se produjo un momento alentador decisivo cuando les pedí a Amanda y a su padre que pasaran una tarde juntos, primero visitando la tumba de Delia (que Amanda no conocía) y luego visitando la tumba de Daryl, el chico que falleció en un accidente de tránsito. Amanda me dijo en una sesión subsiguiente que había sido "la primera vez que en verdad vi a mi padre llorar y probablemente la primera vez en mucho tiempo en que lo dejé a él verme a *mí* llorar". El hecho de ayudarles a ambos a hacer el duelo y a conectarse mutuamente *en torno* a su dolor liberó a Amanda de tener que esforzarse tanto por aliviar ese dolor del que durante tanto tiempo no se había hablado. Y aquello de lo que no se habla en las familias termina por convertirse en algo de lo que no se puede hablar.

Como también mencioné en el epílogo, los padres de Amanda finalmente se mostraron dispuestos, a instancias mías, a examinar más de cerca su matrimonio y buscar conmigo maneras de resucitar y fortalecer su relación mutua. Esto también pareció darle a la familia un buen impulso terapéutico y sacarlos a todos de su aplastante rutina; en la medida en que se esforzaron por desatar algunos nudos que bloqueaban su relación desde hacía muchos años, pudieron acercarse el uno al otro de maneras novedosas y más apropiadas.

Unos padres involucrados y de mente abierta por lo general descubrirán que reciben de sus hijos tanto como les dan a ellos, e incluso a veces más. Los problemas de nuestros hijos siempre nos obligan a examinar los propios y, en ese sentido, la paternidad y la maternidad nos ayudan a *nosotros* a crecer, lo que a su vez hace más probable que nuestros hijos crezcan también.

Con respecto al tema de la comunicación entre padres y adolescentes, muchos padres y madres que acuden a mi consulta quejándose de que no se pueden comunicar con su hijo o hija parecen haber definido demasiado estrechamente la naturaleza de la comunicación. La comunicación para ellos significa "mi hijo avanza con entusiasmo en todo lo que le está sucediendo en la vida" o "mi hija está de acuerdo con lo que yo digo y hace lo que yo le pido". Aunque el tema de la comunicación entre padres y adolescentes merece ser tratado en un libro en vez de en unos pocos párrafos, he descubierto que, en general, existen dos reglas sencillas para el establecimiento de una comunicación adecuada con adolescentes: los adolescentes no hablarán si no creen que los van a escuchar, y no escucharán si no les hablamos con franqueza, amor y respeto.

Esto quizás sorprenda, pero todos los adolescentes a quienes he tratado en verdad *quieren* poderse comunicar más efectivamente con sus padres, quieren escuchar y ser escuchados, entender y ser entendidos, pero no siempre han podido encontrar una manera de hacerlo que no amenace con triturar la frágil cáscara de su identidad.

Amanda me ayudó a entender de inmediato que entablar una conversación semanal cara a cara con ella era imposible. Pero eso me instó a reflexionar sobre un asunto relacionado: "Si no vamos a hablar, ¿cómo más nos podemos conectar?" Los padres nunca deben subestimar el poder de las palabras, pero a veces es preciso buscar el vehículo apropiado para transmitir esas palabras. Si no es una transacción hablada, podría ser una carta, un correo electrónico, un intercambio de mensajes instantáneos.

He visto a muchos adolescentes dar la espalda y cerrar sus mentes a un sermón largo de su madre o su padre, pero el carácter inquisitivo de la mayor parte de los chicos se verá estimulado, por ejemplo, al encontrar un sobre con su nombre pegado en la puerta de su habitación; enseguida se sentirán obligados a abrirlo y leer la carta que contiene (incluso si no admiten haberlo hecho y si no la responden). Nunca se debe presumir que la ausencia de comunicación con un adolescente significa una falta de interés en la comunicación en sí; por lo general, se trata tan sólo de la necesidad de establecer el aparato comunicativo correcto.

Finalmente, para mí fue crucial buscar una manera de guiar a los padres de Amanda por los traicioneros bancos de arena de la culpa innecesaria. Como observé anteriormente, la culpa nuestra o de otros no desempeña un papel saludable en un intento de paternidad efectiva. No hay padres perfectos, ni tampoco es necesario que nos sintamos nunca obligados a *ser* padres perfectos, y ninguno de nosotros pasa por la crianza de los hijos sin sentir arrepentimientos lacerantes y remordimientos agudos por lo que dijimos o no dijimos, por lo que hicimos o dejamos de hacer. Me gusta bromear con los padres diciéndoles que si *fuéramos* perfectos, el resultado desfavorable sería que nuestros hijos nunca iban a querer dejarnos. Y, desde luego, nuestros hijos no aprenderían a aceptar con dignidad sus propias imperfecciones, si nosotros no estuviéramos constantemente esforzándonos por superar nuestras propias imperfecciones, y hasta cierto punto, aceptándonos a regañadientes con ellas.

Nuestro trabajo como madres y padres no es tratar siempre de hacer las cosas "correctamente" (como si en efecto hubiera una manera *correcta*), sino simplemente tener más fe en nuestros hijos de la que ellos se tienen a sí mismos; ser un faro que los guíe en su camino y un espejo que les refleje de vuelta la imagen de ellos en su mejor aspecto; y afrontar, con el mayor equilibrio y optimismo posibles, las rachas y borrascas inevitables de la vida familiar, sus torbellinos y remolinos, sin temer compartir el amor, el interés y la esperanza que nos unen unos a otros y que nos llevan a maneras más humanas de estar en el mundo.

Los padres de Amanda merecen un crédito enorme por acompañarla mientras atravesaba una época temible y formidable, por persistir a la luz de una tremenda desesperación y desilusión, por estar dispuestos a permitirse evolucionar y por nunca renunciar a las posibilidades redentoras del amor familiar.

Somos ciertamente pobres si sólo somos cuerdos.

—D. W. WINNICOTT

Estás perdido en el instante en que sabes
cuál va a ser el resultado.

—JUAN GRIS

Nota para profesionales

El tratamiento psicológico se debe desarrollar con mucha más suavidad y debe funcionar mucho más eficientemente de lo que lo hace en la realidad. Al fin y al cabo, el paciente quiere cambiar y mejorarse, y el clínico tiene la capacidad y el deseo de ayudarle a él o ella a hacerlo. Entonces, ¿por qué tiene que volverse tan desconcertante y bizantino?

En esta última sección, que está dirigida más que todo a psicoterapeutas pero que también será de utilidad para educadores, especialistas en medicina adolescente, proveedores de salud, clero y otros profesionales que orientan y se interesan por los chicos de esta edad, me referiré brevemente a la relación terapéutica que se desarrolló entre Amanda y yo y la utilizaré como una forma de explorar la complejidad caleidoscópica que implica sanar la angustia adolescente.

Cuando conocí a Amanda y sus padres, me quedó claro que mi primera y más importante tarea era sacarlos del pantano en que se habían metido, un pantano que habían construido con base en la premisa inmovilizante de que Amanda era defectuosa y que era muy poco lo que sus padres podían hacer para ayudarla, pues sus dificultades eran el inevitable resultado de una psicopatología individual de profundo arraigo.

Como le dije a Amanda en una de mis primeras cartas, les hemos dado a las familias un mal servicio al definir tan rígidamente el significado de la salud y la cordura y al caracterizar hasta el más leve desvío de esta norma tan restringida como un indicio de trastorno emocional y enfermedad mental. Al hundir un hacha terapéutica en el mar congelado de las presunciones de esta familia, removiendo la perspectiva inmovilizante que habían adoptado e invitándolos a todos, incluida Amanda, a ver desde un ángulo diferente quién era ella y por qué se comportaba como lo hacía, posiblemente los volví un poco más permeables al cambio, lo cual inició el proceso de sacarlos a flote.

A lo largo de mis años de práctica me he convencido de que la mejor manera de entender los síntomas psicológicos no es considerarlos como una falla del individuo sino como una falla de la imaginación, una incapacidad, como mencioné en la nota anterior para padres, de conceptualizar y articular el comportamiento problemático como esencialmente basado en la salud y *solución* del problema. Cuanta mayor amabilidad podamos demostrar a nuestras partes incompletas, faltantes, contradictorias y paradójicas; cuanta mayor clemencia dispensemos como respuesta a nuestras obstinadas fallas y flaquezas; y cuanto más podamos amarnos a nosotros mismos *debido* a nuestras limitaciones e inhabilidades, mayor probabilidad habrá de que podamos trascender y transformar nuestros "síntomas" y hacer el tránsito de: "debe de haber algo mal en mí" a: "debe de haber algo importante que intento decir".

También fue importante no limitarme a especificar y estipular en qué consistía la empresa de la psicoterapia. El solo hecho de que Amanda no se sintiera lo bastante optimista o confiada como para abrirme de inmediato su corazón verbalmente, no significaba que su doloroso silencio no la estuviera haciendo sufrir. Me correspondía a mí encontrar una manera innovadora de *penetrar* su silencio y ayudarle a descodificarlo y suavizarlo, en vez de insistir obstinadamente en que procediéramos de total conformidad con los rituales tradicionales del tratamiento: entrar a la consulta, sentarse, hablar durante cincuenta minutos y luego marcharse. Eso quizás funcione para algunos adolescentes (o por lo menos quizás algunos lo toleren), pero dudo seriamente que le funcione a la mayoría.

A veces, me parecía que estas cartas funcionaban como una línea telefónica frágil que comunicaba nuestros respectivos corazones, transportando lentamente en ambos sentidos la sustancia de lo que queríamos transmitirnos el uno al otro. Otras veces, el intercambio de cartas se sentía como una especie de eco humano, cada uno transmitiendo cautelosamente sus señales pulsadas y esperando con ansiedad la reverberación, en un esfuerzo gradual y persistente por hallarnos a nosotros mismos y al otro.

De hecho, para comunicarme con Amanda decidí a propósito utilizar el correo tradicional en vez del correo electrónico, porque me pareció que darle concreción (una carta física en la mano) a este proceso tan delicado y volverlo menos instantáneo (tomarse un par de días en vez de un par de segundos) le imprimiría una fuerza y una importancia adicionales. El hecho de que ella respondiera de la misma manera hace pensar que a ella también le pareció un buen sistema.

Visto en retrospectiva, también fue indispensable mantener el foco en las fortalezas y habilidades intrínsecas de Amanda. Los adolescentes se sienten de por sí lo bastante inadecuados e insuficientes, como para que de repente intervenga un terapeuta con el ánimo de *arreglarlos*, de confiscar sus identidades arduamente ganadas y dictarles lo que deben hacer para cambiar y curarse. Cuanto más responsables nos sintamos por el crecimiento de los adolescentes, menos probabilidades habrá de que en verdad crezcan; debemos buscar *respuesta*, más que responsabilidad.

Y aunque de hecho seamos los expertos y la autoridad en materia de desarrollo psicológico *en general*, tenemos que transmitirles a nuestros pacientes la noción de que ellos son los expertos y la autoridad en lo que respecta a *ellos mismos*. Amanda incluso me dijo durante una de nuestras sesiones finales, cuando conversábamos sobre lo que le había ayudado y lo que no le había ayudado, que yo había sido el primer clínico a quien parecía interesarle más *conocerla* que ayudarle o "mejorarla".

En un tratamiento exitoso, la idea no es tanto que el terapeuta *provea* alivio, soluciones y sanación, sino más bien que su presencia empática, sus preguntas abiertas a la reflexión y sus marcos novedosos sirvan para atraer la curiosidad del paciente y darle el espacio, las estrategias y la motivación para *hallar* alivio, soluciones y sanación. El terapeuta se convierte en la partera del nacimiento de la identidad adulta del adolescente, en el custodio provisional de su bienestar precario y su potencial, hasta que sea capaz de reclamarlos, confiar en ellos y encarnarlos él o ella por su cuenta.

Aunque la relación que desarrollé con Amanda mediante nuestra correspondencia fue una relación individual que, por definición, excluía a sus padres, estoy seguro de que a los lectores les queda muy claro que su tratamiento siguió basándose en la familia. Las cartas nunca tuvieron como objeto ser un punto final terapéutico, sino más bien su intención fue que sirvieran de punto de partida para sentar las bases del trabajo conjunto indispensable para promover un cambio perdurable en el sistema familiar.

A medida que la confianza de Amanda en nuestra colaboración se fue afianzando con el intercambio de cartas, pude ir estableciendo sesiones de terapia familiar más tradicionales como modalidad clínica predominante, y como pudimos apreciar, todos cosecharon los beneficios.

Siempre que haya asuntos familiares por atender, cuanto más participe la familia completa más probabilidades habrá de que se logre un progreso, y más sólido será ese progreso. La conversación y la revelación son, en últimas, ejercicios inútiles a menos que se traduzcan en acción, y la acción más terapéutica se desarrollará cuando la familia tenga la oportunidad de unirse y reconfigurar sus asfixiantes patrones de interacción en vivo, como grupo. Una inversión en una sesión de familia bien construida siempre rendirá mejores frutos que docenas de citas de "adolescentes contándole a su terapeuta sobre sus malvados padres" o de "padres quejándose de su egoísta y caprichoso hijo o hija adolescente".

Finalmente, sin embargo, se trata más de una cuestión de enfoque terapéutico que de quién se sienta o no en el consultorio. Por ejemplo, he supervisado a clínicos que han invitado a numerosos miembros de una familia a sus consultorios para sesiones, pero que siguen creyendo erróneamente que los problemas del paciente identificado están en él o ella en vez de ubicarse dentro de la compleja red de relaciones familiares. Y he supervisado a otros que literalmente reciben a un solo paciente en sus consultorios, pero aportan a su trabajo con ese paciente una orientación sistémica, basada en la familia.

Sin embargo, *sí* hubo algunos riesgos clínicos que tuve que contemplar cuando me lancé y emprendí una correspondencia en profundidad y entre sesiones con Amanda. Tuve que frenar constantemente mi tendencia a aliarme con "la pobre Amanda" contra sus, a ratos, estoicos e inflexibles padres en lo referente a las reglas y restricciones, y al mismo tiempo reforzar la autoridad y jerarquía paternas sin entrar en un antagonismo frontal con ella, un equilibrio delicado que no siempre fue posible sostener.

Y tuve que vigilar mi deseo de competir exitosamente con el padre de Amanda e intentar reemplazarlo como la principal figura paterna en su vida. Eso hubiera sido gratificante para *mí* en cierto sentido, pero en últimas habría sido perjudicial para el desarrollo de Amanda, puesto que ella ya tenía a un padre competente con quien necesitaba aclarar algunas cosas, e iba a mantener una relación de por vida con *él* y no conmigo.

Por otra parte, sí esperaba, y tenía razones para hacerlo, que mi alianza epistolar con Amanda le daría a él un modelo sobre la manera en que un padre podía iniciar un diálogo con una hija adolescente, y que quizás incluso agitara alguna rivalidad latente conmigo que lo instara a superar su aislamiento e invitarla a establecer nuevamente un contacto más estrecho.

En todo caso, el hecho de enmarcar mi relación individual con Amanda como un puente que propiciaría un mayor acercamiento de toda la familia, así como un entorno más sano y flexible, que fue algo que tanto ella como sus padres entendieron, parece haber funcionado bastante bien.

Como el lector sólo ha tenido acceso a las cartas que yo le envié a Amanda y no a las que ella me escribió a mí, de ninguna manera se debe inferir que ella siempre estuvo satisfecha conmigo y mi enfoque. En muchas ocasiones, inicialmente planteadas en sus cartas (como en el capítulo 12, "Cómo te *atreves*") y un poco más adelante en las sesiones, ella se quejó ásperamente de mi insensibilidad, desestimó impacientemente mis teorías e hipótesis bien intencionadas y se enojó conmigo cuando sintió que me estaba aliando con sus padres en contra de ella.

Para mí, sin embargo, como le dije a Amanda, estos eran indicios alentadores de que se estaba desarrollando una verdadera relación terapéutica. Los terapeutas no pueden *evitar* enojar, decepcionar, descuidar y herir a sus pacientes, así como los padres no pueden evitar hacer eso mismo con sus hijos; es parte de nuestro rol, y si no está sucediendo es probable que no estemos asumiendo nuestro rol con suficiente seriedad. Pero las rupturas, pequeñas o grandes, en términos de empatía, afecto y conexión entre el terapeuta y el paciente (y también entre padres y adolescentes), por perturbadores que sean, son absolutamente esenciales y, si se acogen y se exploran, tienen grandes propiedades de sanación. Cuando ocurrían estas rupturas en nuestra relación, Amanda tenía que ver que yo podía manejar sus sentimientos de ira, violación y traición sin que me desplomara o contraatacara, que podía seguir interesado en su caso y preocuparme por ella incluso si ella se negaba a ocultar esos sentimientos en otro esfuerzo de auto sacrificio por ser una "buena chica".

He aprendido de la manera difícil que la terapia es más terapéutica cuando el terapeuta consigue de alguna manera tolerar e identificarse con los sentimientos de ira y puerilidad del paciente en vez de hacer caso omiso de ellos y negarlos, pese a que esos sentimientos de ira y puerilidad naturalmente generen las mismas emociones incómodas en nuestro interior. En varias de sus cartas Amanda se preguntaba, "¿por qué no te has dado por vencido conmigo?" Y, para ser sincero, hubo momentos en los que me sentí tan apabullado como ella, cuando parecía que todos estaríamos mejor si yo simplemente capitulaba, si la descartaba fatigado como otra causa perdida, la encasillaba nítidamente en alguna categoría diagnóstica y renunciaba a tratar de infundirle algo de esperanza a esta situación desesperanzada. La terapia siempre se desarrolla en la intersección entre la duda y la convicción, y no siempre es claro cuál de los caminos va a prevalecer.

Pero también fue claro que Amanda necesitaba que yo desempeñara el papel de algo semejante a una "unidad de diálisis psicológica", derivando hacia mí su más peligrosa emocionalidad para que yo la albergara, la procesara y la purificara emocionalmente, y luego se la devolviera sin que se sintiera tan atemorizante y peligrosa. A ella le parecía extremadamente importante que yo entendiera con gran precisión su sensación de que todo era imposible, y que compartiera la experiencia de esa imposibilidad con ella para que no la tuviera que sufrir sola.

Todos nosotros, en nuestros momentos más sombríos, buscamos algún marco de contención para nuestros temores más atroces, y aunque a veces es menester recurrir a la contención química (medicina psicotrópica) y/o institucional (clínicas, hospitales, centros de detención, cárceles), como había sucedido en el caso de Amanda durante un tiempo, por lo general lo que buscamos es una contención interpersonal fuerte y amplia, y eso posee los poderes de sanación más profundos. No importa cuánto aprendamos eventualmente sobre genética y fisiología humanas, nunca habrá un sustituto clínico para la profunda necesidad humana de ser escuchado con compasión, de ser acogido y entendido, sin importar cómo se den estos encuentros.

Como el lector tampoco conoce el contenido de mis sesiones con los padres de Amanda, no debe suponer que ellos siempre estuvieron de acuerdo con mis teorías e hipótesis. Su madre y su padre ingresaron a mi consultorio con una actitud bastante fría y escéptica (lo cual es comprensible, a la luz de sus difíciles historias de vida y sus anteriores experiencias con la inutilidad terapéutica), dándome muy poco material sobre el cual trabajar. Al comienzo, hicieron gala de una sensación muy tranquilizadora (aunque debilitante) de impotencia —tranquilizadora porque los eximía de cualquier responsabilidad por el estado actual de las cosas—, y que lucharon mucho tiempo por mantener a pesar de mi empeño por desprogramarlos. Así como a veces me sentí tentado a darme por vencido con Amanda por frustración y fatiga, también a veces me sentí tentado a darme por vencido con sus padres.

Pero me ayudó el hecho de tener siempre presente cuánto dolor habían tenido que soportar estos dos individuos en sus vidas. Al fin y al cabo, no era sólo Amanda quien me necesitaba sino también su madre y su padre: para entender sus temores; para aceptar la existencia de su profundo dolor; para recoger los pedazos dispersos de su autoestima colectiva; para enseñarles de nuevo las lecciones de amor que se habían debilitado entre la maraña de sus tremendas pérdidas; para estar cerca y presente mientras respiraban profundo, miraban hacia el fondo de sus hondos arrecifes emocionales, y quizás por primera vez en sus vidas veían con coraje los temidos paisajes que se vislumbraban en las profundidades.

Un último reto que me parece importante resaltar fue haber aceptado los límites de mi influencia sobre Amanda. Siempre he creído que hacemos una terapia no como deseamos sino como podemos. Como mencioné en el epílogo, aunque Amanda mejoró en muchos aspectos, no logré convencerla de que dejara la marihuana y el alcohol, ni su, a veces, promiscuo comportamiento sexual (aunque finalmente sí dejó todo eso). Pese a mis constantes esfuerzos en el curso de nuestro trabajo juntos, nunca logré persuadirla de adoptar un régimen de ejercicio regular o empezar el día con un desayuno nutritivo o practicar la meditación.

Pero aceptar los límites de la empatía y la compasión, así como los de la experiencia y la pericia, es un paso necesario en el tratamiento porque nos recuerda, y también les recuerda a nuestros pacientes, que no tenemos soberanía sobre ellos, que en último término ellos son agentes libres que toman sus propias decisiones. Por frustrante que sea reconocer esto, sobre todo cuando creemos que "sabemos qué es lo mejor" para un paciente, también es liberador para ambos. Esto es especialmente cierto en el caso del paciente adolescente, cuyo principal objetivo es librarse y emanciparse del dominio de otros y buscar un imperio independiente propio. Todos tenemos que darnos cuenta de que la llave del motor de la vida siempre se encuentra en nuestro *interior*, no afuera.

Para concluir, la terapia, como planteé en el epílogo, no se debe extender eternamente sino debe tener "límites de tiempo"; funciona mejor no como un proceso abierto sino como un proceso que nos coloca en posición de poder soportar y sobrevivir mejor a las inevitables crueldades y situaciones absurdas de la vida, a sus vertiginosos ciclos de triunfo y derrota, realización y vacío, iluminación y desilusión, utilizando nuestros propios recursos y relaciones. Supe desde el instante en que iniciamos el tratamiento, como me sucede con todos mis pacientes, que Amanda y yo tendríamos que llegar hasta el final, y así como la conciencia de la mortalidad nos agudiza el deseo de vivir más plenamente, la conciencia de terminar un tratamiento agudiza nuestro deseo de lograr lo que se tiene que lograr para que el paciente (y el terapeuta) puedan avanzar.

Era necesario que Amanda pudiera idealizarme, con el fin de atesorar y apreciar lo que le había dado durante el tiempo en que trabajamos juntos, pero sin duda era igualmente importante que me dejara atrás y empezara a ver que podía prescindir de mi ayuda. Sólo entonces podíamos saber ambos si el tratamiento en el cual trabajamos tan arduamente había sido tan exitoso y gratificante como habíamos esperado.

Y la canción sigue, hermosa

—RAINER MARIA RILKE

Agradecimientos

Si BIEN ESTE LIBRO ES, EN CIERTO SENTIDO, una destilación de todo lo que he aprendido sobre psicoterapia y desarrollo humano de incontables colegas, supervisores, maestros y autores a lo largo de los años, mis consultas en profundidad, colaboraciones y/o conversaciones con los siguientes clínicos en diversos momentos de mi trayectoria profesional han sido especialmente instrumentales e influyentes en el desarrollo de mi enfoque terapéutico, y a ellos les expreso mis más calurosos agradecimientos.

Halcy Bohen, PHD
Thomas Burns, PHD
George Cohen, MA
Ruth Lebovitz, DSW

Roger Lewin, MD
Elena Manzanera, MS
Karen Meckler, MD
Phyllis Stern, MA
Ellen Talles, LCSW, ADTR
Jill Woleslagle, LCSW-C

Agradezco también a mi excelente agente, Sarah Jane Freymann, por su interés en mi trabajo y su apoyo a lo largo de los años, y por su firme resolución de separar el grano literario de la paja; así mismo, agradezco a mi editora, Eden Steinberg, por su fe en estas cartas y su empeño por transmitir su anhelante mensaje.

Una parte de las utilidades que reporte la venta de este libro serán donadas por el autor al Grassroots Crisis Intervention Center de Columbia, Maryland, y a la Unidad de Neurotrauma del Hospital Universitario Johns Hopkins, de Baltimore, Maryland.

El autor

EL DOCTOR BRAD SACHS es psicólogo de familia y autor de *The Good Enough Child* y *The Good Enough Teen*. Es egresado de Brown University e hizo un doctorado en la Universidad de Maryland, College Park.

Fue profesor de secundaria y fundador y director de The Father Center, un programa diseñado para atender las necesidades de padres potenciales, primerizos y con experiencia.

El doctor Sachs es conocido a nivel nacional por sus creativas e innovadoras terapias de familia, así como por sus talleres y seminarios sobre este tema. Ha escrito artículos para numerosas revistas populares y profesionales, viaja y dicta conferencias con frecuencia y participa regularmente en programas de radio y televisión. Ha explorado la caleidoscópica complejidad de la vida familiar, no sólo en su trabajo clínico y sus escritos, sino también a través de la poesía y la música.

El doctor Sachs está casado con la doctora Karen Meckler, psiquiatra y acupunturista. Viven con sus tres hijos adolescentes, Josh, Matt y Jessica, y sus dos perros en Columbia, Maryland.

Es posible comunicarse directamente con él a través de su sitio web: www.bradsachs.com.

Bradsachs.com*

VISITE *www.bradsachs.com* para descargar guías de comunicación diseñadas especialmente para adolescentes, padres y madres o profesionales (incluidos educadores, clero, profesionales de la salud mental y otros especialistas en adolescentes). Estas guías se pueden utilizar en diversos contextos, entre ellos:

- Clubes de libros para adolescentes y/o padres.
- Grupos de jóvenes.
- Asociaciones de padres y maestros y reuniones comunitarias.
- Talleres de profesores.

---

* Este sitio está en inglés

- Apoyo para pacientes internos y externos, y grupos terapéuticos de adolescentes.
- Clases de psicología de nivel secundario y universitario.
- Mejoramiento de la experiencia y perspectiva individuales al leer *Cuando nadie entiende*.

Al doctor Sachs también le complace recibir cartas de sus lectores, que responderá lo más pronto que pueda de acuerdo con sus compromisos. Se le puede enviar correo electrónico a través de su página web o se le puede escribir a la siguiente dirección:

Dr. Brad Sachs
Suite 3
Stevens Forest Professional Center
9650 Santiago Road
Columbia, MD 21045